C000294404

Blodwen Jones
a'r
Aderyn Prin

Cyhoeddwyd yn 2020 gan
Wasg Gomer, Llandysul, Ceredigion SA44 4JL
www.gomer.co.uk

ISBN 978 1 78562 314 1

ⓑ y testun: Bethan Gwanas, 2020 ©

Mae Bethan Gwanas a Brett Breckon wedi datgan eu hawl
dan Ddeddf Hawlfreintiau, Dyluniadau a Phatentau 1988
i gael eu cydnabod fel awdur ac arlunydd y llyfr hwn.

Cedwir pob hawl. Ni chaniateir atgynhyrchu unrhyw ran
o'r cyhoeddiad hwn, na'i gadw mewn cyfundrefn adferadwy,
na'i drosglwyddo mewn unrhyw ddull na thrwy unrhyw gyfrwng,
electronig, electrostatig, tâp magnetig, mecanyddol, ffotogopïo,
recordio, nac fel arall, heb ganiatâd ymlaen llaw gan y cyhoeddwyr.

Dymuna'r cyhoeddwyr gydnabod cymorth ariannol
Cyngor Llyfrau Cymru.

Argraffwyd a rhwymwyd yng Nghymru gan Wasg Gomer,
Llandysul, Ceredigion SA44 4JL

Blodwen Jones a'r Aderyn Prin

BETHAN GWANAS

Gomer

Mehefin 23ain – prynhawn Sul, 5.30 pm

O wel. Roedd hi'n rhy berffaith. Hywel a Blodwen...

Fydda i ddim yn Mrs Blodwen Edwards **wedi'r cyfan**. Dw i wedi gorffen efo fo. Wel... **fwy neu lai**. Dydy o ddim yn gwybod eto. Dw i isio deud wrtho fo, ond dw i ddim wedi ei weld o. Ddim ers dydd Iau. Ddim ers y noson wnes i gerdded i mewn i dafarn y George. Roedd o yno – efo hi... y ferch efo gwallt hir melyn a sgert oedd ddim yn hir – o gwbl. Roedd ei dafod o yn ei cheg hi. Nac oedd, doedd hi ddim yn **olygfa** hardd. Ro'n i'n teimlo'n sâl. Ac roedd o'n teimlo ei phen ôl hi.

Mi wnes i afael mewn peint, a'i dywallt dros ei ben o. Wel – ei phen hi hefyd. Mynd am ei ben o ro'n i, ond roedd hi'n rhy agos. Tyff. Ro'n i'n teimlo'n well wedyn, ac es i adre ac yfed **potelaid** o win. Do'n i ddim yn teimlo'n well y bore wedyn. **Yn enwedig** pan ddaeth y postmon. Ro'n i wedi gyrru ffilm i gael ei – beth ydy *develop*? – lle mae'r geiriadur? Aha – 'datblygu'. Lluniau o Hywel a fi ar Ynys Llanddwyn, ynys y **cariadon**.

wedi'r cyfan – *after all*	**potelaid** – *a bottleful*
mwy neu lai – *more or less*	**yn enwedig** – *especially*
golygfa – *sight, view*	**cariad(on)** – *lover(s)*

Roedden nhw'n lluniau da. Ond maen nhw yn y **bin sbwriel** rŵan, efo bocs **cyfan** o Kleenex gwlyb. Ac mae Ynys Llanddwyn yn con. Mi wnes i ffonio Andrew ond mi ges i beiriant ateb. Neges efo lleisiau Andrew a Menna'n canu **deuawd**, a llawer o chwerthin. Ro'n i'n teimlo'n sâl. Felly mi wnes i roi'r ffôn i lawr a chrio mwy. Wedyn mi wnes i ffonio eto a gadael neges, rhywbeth fel: 'Andrew? Lle wyt i? Mae Hywel … mae Hywel … yn … yn … *complete and utter bastard*! Plis ffonia fi. O ie, Blodwen sy yma.'

Mi wnaeth Andrew ffonio yn ôl ar ôl 32 awr a 33 munud. 'Blod? Beth sy'n bod? Ro't ti'n swnio'n … ofnadwy!'

'Mae o'n ofnadwy. Dw i wedi gorffen efo fo.'

'Pwy?'

'Hywel!'

'O … wel, dw i'n falch.'

'Yn falch?'

'Ydw. Do'n i ddim yn hoffi'r dyn.'

'Esgusoda fi?'

'Na, mae o'n ddyn … beth ydy *arrogant*, Menna?'

Mi wnes i glywed llais Menna yn y **cefndir** yn deud: 'Ym … ffroenuchel.'

'Ie, mae o'n ffroenuchel. W! Gair da, yndê! *High-nostrilled*! *He's a high-nostrilled pillock*, Blod.'

'Plis paid â fy ngalw i'n Blod …'

'Mae'n ddrwg gen i, ond rwyt ti'n well heb Hywel.'

'O. Felly pam dw i'n teimlo mor ofnadwy?'

bin sbwriel – *rubbish bin*	**deuawd(au)** – *duet(s)*
cyfan – *whole, complete*	**cefndir** – *background*

'Amser, Blod. Mae'n ddrwg gen i – Blodwen. Ie, mae amser yn gwella popeth.'

'Mewn faint o amser?'

'Mae o **i fyny i ti**. Dyddiau... wythnosau... blynyddoedd weithiau.'

'Waaaaaaaaa!'

'Blodwen! Paid â chrio... plis.'

'Waaaaaa.'

'Blodwen... Menna? Helpa fi.'

Llais Menna yn y cefndir: 'Andrew? Beth wyt ti wedi'i ddeud wrthi hi?'

'Dim byd!'

Llais Menna ar y ffôn: 'Blodwen? Dan ni'n dod draw – rŵan.'

Felly mi wnes i roi'r ffôn i lawr a chwythu fy nhrwyn. A dw i'n sgwennu hwn **tra** fy mod yn aros. Mae hi'n anodd achos fy nghath, HRH. Mae hi'n dringo arna i bob munud, ac yn **llyfu** fy wyneb. Dw i isio meddwl bod hi'n... beth ydy *sympathise*? Aa... 'cydymdeimlo'. Dw i isio meddwl bod hi'n cydymdeimlo efo fi. Ond dw i'n nabod HRH, a dydy hi ddim yn gath gydlymdeim... gyd imdeimliadwy... gydimdeimladol? *Oh, whatever.* Dw i'n meddwl bod hi'n hoffi blas halen.

---

i fyny i ti – *up to you*	**llyfu** – *to lick*
tra – *while*	

Mehefin 23ain – nos Sul, 9 pm

Daeth Menna â **bara cartre** i mi (mae'r ferch yn berffaith, felly pam dydw i ddim yn siŵr ydw i'n ei hoffi hi?) a daeth Andrew â CD Dafydd Iwan. Dw i ddim yn gwbod pam. Mi wnaeth Andrew baned i ni tra oedd Menna yn ceisio siarad efo fi. Ond efo Andrew ro'n i isio siarad. Dw i ddim yn siŵr pam. Mae o'n **rhoi ei droed ynddi** hi o hyd.

Ond roedd Menna yn gwneud ei gorau.

'Mae 'na lawer mwy o bysgod yn y môr, Blodwen.'

'Oes, ond dw i'n mynd yn sâl ar y môr.'

Edrychodd hi'n rhyfedd arna i. Does gan y ferch ddim hiwmor.

'Rwyt ti'n gwybod beth dw i'n feddwl.'

'Ydw. Bod 'na lawer mwy o ddynion allan yn fan'na yn rhywle.'

'**Yn hollol**.'

'Ond maen nhw i gyd yn rhy ifanc neu yn rhy hen, neu yn dwp, yn hyll neu'n alcoholics.'

'Blodwen ... dwyt ti ddim yn meddwl fod ti braidd yn rhy ffysi?'

'Ffysi?'

'Ie.'

'Beth wyt ti'n feddwl?'

'Pardwn?'

---

bara cartre – *homemade bread*   **yn hollol** – *exactly*
rhoi ei droed ynddi – *to put his foot in it*

'O... ie... ym... w*ith all due respect*... â phob dyledus barch...'

Ro'n i'n teimlo gwallt fy mhen yn dechrau codi. Os ydy 'â phob dyledus barch' yn golygu yr un peth â *with all due respect*, does gan y person sy'n siarad ddim parch **tuag atoch chi**.

Ond roedd Menna'n dal i siarad.

'... Wel, dwyt ti ddim yn Catherine Zeta Jones, wyt ti? (*But YOU are, I suppose*...) A dwyt ti ddim yn mynd dim iau...'

Ro'n i isio ei tharo hi ar ei phen efo'r geiriadur. Yr **ast**! Roedd Andrew yn dod i mewn, diolch byth.

'Beth sy'n digwydd dydd Iau?' meddai fo, wrth roi paned i ni.

'Na,' **eglurodd** Menna, 'deud o'n i nad ydy Blodwen yn mynd yn iau... *not getting any younger.*'

'A mod i'n rhy ffysi...' **meddwn i**.

Edrychodd Andrew arni hi mewn sioc.

'O, Menna! Dydy hynny ddim yn wir!'

'Diolch, Andrew,' meddwn i.

'Na, chwarae teg, edrycha ar y ddau *plonker* mae hi wedi eu cael eleni: Llew a Hywel... faswn i ddim yn galw hynny'n ffysi.'

'Diolch, Andrew.'

'Croeso. Wyt ti isio siwgr?'

Arhoson nhw ddim yn hir. Mae gan Menna alergedd i gathod. Dw i mor falch. A dyna fy mhroblem – dw i'n rhy

---

tuag atoch chi – *towards you*	**egluro** – *to explain*
gast (yr ast) – *bitch*	**meddwn i** – *I said*

falch (y balch arall – *proud*) a ffysi i edrych ar ddynion sy yn yr un – beth ydy *league*, tybed? Dyma ni – dynion sy yn yr un gynghrair â fi. Mae hi wedi bod yn ddiwrnod hir. Dw i'n mynd i'r gwely.

Mehefin 26ain – dydd Mercher

Mi ges i freuddwyd ofnadwy neithiwr. Wel, **hunllef**, felly. Ro'n i yn y gôl i Man. United ac roedd Llew a Hywel yn chwarae yn fy erbyn i. Mi ges i gic gan Llew, ac mi dorrodd o fy nghoes. Wrth i mi foddi mewn **pwll o waed**, mi sgoriodd Hywel. Dringais i allan o'r pwll i gwyno wrth y **dyfarnwr**, ond Andrew oedd o, ac mi dorrodd o fy nghoes arall.

Roedd fy ngwaith yn y llyfrgell yn ddiflas fel arfer. Roedd Gwen yn flin a doedd fy sganiwr i ddim yn gweithio. Roedd y bachgen sy efo ni am wythnos o **brofiad gwaith** wedi rhoi y *returns* i gyd ar y silffoedd anghywir. A daeth mam Hywel i mewn.

'Helô, Blodwen! Dw i heb eich gweld chi ers talwm!'

'Ym, naddo.' Ydy hi'n gwybod?

'Ond dyna fo, mae Hywel mor brysur efo'r **cneifio**.' (Nac ydy, dydy hi ddim yn gwybod.)

'Ym … ydy?' Alla i ddim deud wrthi hi, ddim fan hyn, ddim o flaen Gwen.

---

hunllef – *nightmare*	**profiad gwaith** – *work experience*
pwll o waed – *pool of blood*	**cneifio** – *to shear*
dyfarnwr – *referee*	

'Ydy, mae o'n cwyno'n ofnadwy am ei gefn. Sglyfaeth o beth ydy'r cneifio 'ma, dach chi'n gwbod.'

'Sglyfaeth o beth?'

'Horrible thing.'

Hm. Fel ei mab.

'Mae'n siŵr.' Ond dw i ddim yn meddwl mai cneifio sy wedi brifo ei gefn o **rywsut**. **Oni bai** fod o a'r ferch o'r George yn chwarae gemau **amaethyddol** yn y gwely. Dw i ddim isio meddwl amdanyn nhw yn y gwely.

Gadawodd mam Hywel efo chwe nofel dditectif, ac es i i'r tŷ bach i grio. Dw i'n colli Hywel. Dw i angen gwneud rhywbeth gwahanol, gweld pobl wahanol. Gwyliau! Rhywle braf fel y Seychelles neu'r Maldives. Neu **hyd yn oed** y Costa del Sol. Ond ar ôl talu bil y garej, does gen i ddim pres. Roedd gen i ddwy olwyn **foel**, dim *brakepads*, twll yn yr *exhaust* a dŵr yn dod drwy'r to haul. Y Maldives! Fedra i ddim fforddio diwrnod yn y Rhyl.

Heno, es i i'r wers Gymraeg. Roedd pawb yn garedig iawn, wedi clywed mod i 'nôl ar y silff – gan Menna, mae'n siŵr. Roedd Michelle (sy'n fam i dri o blant bach) yn siarad efo fi fel plentyn bach. Ro'n i'n disgwyl iddi hi ddeud didyms a **chwythu** ar y **briw** unrhyw funud. Roedd Brenda, sy hefyd yn sengl – ac yn 27, yn edrych yn… beth ydy *smug*? Mae'r geiriadur yn deud: hunanfoddhaus,

rhywsut – *somehow*	**moel** – *bald*
oni bai – *unless*	**chwythu** – *to blow*
amaethyddol – *agricultural*	**briw** – *wound*
hyd yn oed – *even*	

hunanfodlon... geiriau mor hir a chymhleth. Mae Cymry cyffredin yn deud 'smyg', mae'n siŵr.

Roedd Jean yn boen yn y pen ôl: 'Dyna ti, Roy! Mae Blodwen angen dyn! Dyma dy gyfle! Go on, **gwna dy symudiad!**'

Roy druan. Mae o mor swil. Aeth o'n goch fel tomato (*can't be bothered to look up beetroot*) a wnaeth o ddim edrych arna i drwy'r nos wedyn.

Beth bynnag, mi wnaeth Menna roi ein gwaith sgwennu yn ôl i ni heno. Roedd hi wedi gofyn i ni sgwennu **un dudalen** A4 am Fy Nheulu. Dw i'n hoffi sgwennu, felly ro'n i wedi gwneud mwy nag un dudalen. Wyth, a deud y gwir, ond mae gen i **ysgrifen** fawr. Doedd Menna ddim yn hapus.

'Mae o'n dda iawn, Blodwen, ond un dudalen wnes i ddeud, yndê? Dy air di heno ydy cynnil: *concise*. **Ceisia** fod yn gynnil tro nesa, iawn?'

'Iawn.' R'on i bron â deud 'Iawn, miss', a mynd i sefyll yn y gornel.

Ro'n i wedi mwynhau sgwennu am fy nheulu. Mam, sy'n dal i feddwl mod i'n 16 oed ac yn poeni ydw i'n bwyta'n iawn, ond eto yn poeni mod i'n bwyta gormod. Mae hi'n gwneud ioga bob nos yn ei llofft ac yn **drewi** o *incense*. Dad, sy'n rheolwr banc yn Lerpwl, ac yn cysgu y munud mae o'n dod adref, a byth yn ateb y ffôn. Mae o'n pysgota pob penwythnos ond byth yn dal pysgodyn.

gwna dy symudiad – *make your move*	**ysgrifen** – *handwriting*
	ceisio – *to try*
tudalen(nau) – *page(s)*	**drewi** – *to smell*

Wel, ella fod o'n dal rhywbeth, ond mae'n ei roi o yn ôl yn y dŵr yn syth. Mae o'n ddyn **caredig** iawn. Ac yna Nain a Taid. Cymro oedd Taid – Goronwy Jones. Symudodd o i weithio yn Lerpwl yn 1915. A dyna pam ces i fy ngalw yn Blodwen – i **blesio** Taid. Mae Nain mewn cartref hen bobl. Roedd hi'n ddynes garedig iawn, a **ffraeth** hefyd, nes iddi hi golli ei **marblis**. Dydy hi ddim yn nabod neb rŵan. Mae'n drist iawn. Faswn i'n hoffi ei gweld hi'n fwy aml, ond mae Lerpwl yn bell. A beth ydy'r pwynt os dydy hi ddim yn fy nabod i? Beth bynnag. Roedd Menna wedi troi at Roy.

'Da iawn, Roy. O ie, pa mor dal oedd dy daid, 'te?'

Roedd Roy'n edrych arni hi mewn **dryswch**.

'Dy daid. Faint? Dros 6'6"? 6'8"?'

'Ym... tua 5'8"...'

'Ond... wnest ti ddeud fod o'n fawr.'

'O, fy nhaid mawr... yr un peth. 5'7" ella?'

Menna oedd yn edrych arno fo mewn dryswch rŵan. 'Ond pam ei alw fo'n fawr, 'te?'

'Dw i ddim yn deall.'

Doedd neb yn deall. Yna, cliciodd rhywbeth yn fy mhen. 'Roy? Wyt ti'n ceisio deud *great grandfather*?'

'Ydw. Taid mawr.' Gwenodd Menna.

'Nage, Roy; hen daid ydy hwnnw.'

Roedd pawb yn chwerthin rŵan, ac roedd Roy druan

---

caredig – *kind*	**marblis** – *marbles*
plesio – *to please*	**dryswch** – *confusion*
ffraeth – *witty*	

fel tomato coch iawn, iawn (*still can't be bothered to look up beetroot*) ond allwn i ddim peidio â chwerthin.

Roedd Jean yn chwerthin yn uchel ac yn gwneud sŵn fel mochyn. Yna wnaeth Menna droi ati hi, a rhoi ei gwaith yn ôl iddi hi.

'Eitha da, Jean, ond beth ydy hyn am fferyllfa ryfedd rhwng dy dad a dy fam? Dydy o ddim yn neud **synnwyr**.'

'Nac ydy, dyna pam mae'n rhyfedd!'

Roedd Jean yn dal i chwerthin.

'Y fferyllfa?'

'Ie.' (Sŵn mochyn eto.)

'Siop cemist?'

'Be!?'

'Dyna beth ydy fferyllfa, Jean. Beth ro't ti'n ceisio ei ddeud? Sefyllfa – *situation*?'

Roedd wyneb Jean yn biws, a doedd hi ddim yn chwerthin rŵan. Ond roedd Roy'n gwenu. Dw i'n mwynhau'r gwersi Cymraeg. Maen nhw'n gwneud i mi anghofio am fy mhroblemau personol. Wnes i ddim meddwl am Hywel am ddwy awr.

Mehefin 29ain – dydd Sadwrn

Diwrnod poeth iawn, iawn heddiw. Mae pawb wedi mynd i lan y môr ond fi. Ffoniodd Andrew i ofyn o'n i isio mynd efo fo a Menna, ond ddeudes i na. Roedd gen i waith i'w wneud yn yr ardd. Mae hynny'n wir, dw i heb edrych ar

---

synnwyr – *sense*

yr ardd ers wythnosau. Ond nid dyna'r rheswm...mae Menna mor fach a thenau.

Baswn i'n edrych fel buwch wrth ei hochr hi ar y traeth. Buwch fawr dew efo – beth ydy *scabs*? Crachen...crachod, meddai'r geiriadur. A beth ydy hwn o dan *scabs*? *Ind*: **bradwr**. *Individual*? Naci, siŵr...*industrial*, mae'n rhaid. Fel bradwyr sy'n torri streic neu rywbeth. Diddorol. Ble ro'n i? O ie, ar y traeth efo Menna...ie, dw i'n grachod dros fy nghoesau i gyd ac yn edrych fel hufen iâ *raspberry ripple*. Dw i'n siŵr bod coesau Menna'n frown a pherffaith. Felly es i ddim i'r traeth. Arhoses i adre, a bwyta fel **hwch**. Es i i'r ardd ond dim ond i orwedd yn yr haul a **chrafu** fy nghrachod. Rŵan maen nhw'n **gwaedu**, a dw i wedi llosgi fy nhrwyn, fy **ysgwyddau** a chefnau fy nghoesau. Dw i mewn poen. A does gen i neb i roi **eli** ar fy narnau coch. Ac mae hi'n nos Sadwrn.

Gorffennaf 1af – dydd Llun

Diwrnod diflas arall yn y gwaith. Ddaeth neb diddorol i mewn. Dim ond dwsin o blant oedd isio mynd ar y we ar ôl yr ysgol. Ddudon nhw bod nhw'n chwilio am bethau ar gyfer prosiect ysgol, ond dw i ddim mor siŵr. Roedden nhw'n chwerthin llawer gormod. Wnes i erioed chwerthin fel yna wrth wneud gwaith ysgol.

bradwr – *traitor*	**gwaedu** – *to bleed*
hwch – *sow*	**ysgwydd(au)** – *shoulders(s)*
crafu – *to scratch*	**eli** – *ointment*

Am 4.30, fel arfer, daeth fan y llyfrgell yn ôl, a daeth Dei i mewn. Fo sy'n gyrru'r fan bob dydd.

'Prynhawn da, Blodwen!' meddai fo.

'Hmff,' meddwn i.

'Pwy sy wedi dwyn dy uwd di heddiw?' wnaeth o ofyn. Do'n i ddim yn deall.

'Uwd? *Porridge?*' gofynnes i. 'Ond does gen i ddim uwd. Dw i heb fynd siopa eto.'

Edrychodd Dei arna i efo gwên.

'Na, **ffordd o siarad** ydy o, Blodwen. Gofyn pam wyt ti mor flin ydw i.'

'Dw i ddim yn flin.'

'Blodwen, ti'n gwenu fel giât arna i fel arfer...'

'Mae'n ddrwg gen i? Fel giât?'

'Ia.'

'*I smile like a gate?*'

'Ia, wel...mae o'n swnio'n od yn Saesneg, ond gwên **lydan** – fel giât – sy gen ti fel arfer, yndê?'

Mi wnes i geisio gwenu arno fo – fel giât.

'Na,' meddai Dei, 'mae hynna'n fwy fel drws...un trwm hefyd. Tyrd, mi wna i baned i ti.'

Mae Dei'n angel weithiau. Mae o'n ymddeol y flwyddyn nesa, ond dw i ddim isio iddo fo adael.

Mae Gwen isio iddo fo fynd. '*He's a lazy old so-and-so.*'

'Dei? Ond mae o mor...'

'*Doesn't listen to a word I say. And the state of the books after they've been on his van... honestly.*'

---

ffordd o siarad – *figure of speech* **llydan** – *wide, broad*

Wnes i geisio deud fod hynny'n dangos fod pobl yn darllen y llyfrau. Ond dydy Gwen ddim isio i bobl ddarllen y llyfrau, mae hi isio silffoedd taclus, a dyna ni. Daeth Dei â phaned i mi – efo dau siwgr. Dw i ddim yn cymryd siwgr, ond do'n i ddim yn mynd i ddeud hynny. Roedd hi'n rhy hwyr. Roedd o fel yfed syrup.

Meddylies i beth ydy *syrup* yn Gymraeg. Ro'n i'n gwybod mai triog ydy *treacle*. Gofynnes i i Dei.

'Syrup? Aros di rŵan, ' meddai fo. 'Ym ... o, ia ... triog melyn.'

Triog melyn, wrth gwrs. Mae'r iaith Gymraeg mor *logical*.

'Ond be wnaeth i ti feddwl am hynny rŵan?' gofynnodd o.

'Dim,' meddwn i, 'dim byd o gwbl.'

'O. Fydda i byth yn deall sut mae meddyliau merched yn gweithio ... rŵan 'ta, deuda wrth Yncl Dei be sy'n bod. Dwyt ti ddim yn dal i grio dros yr hen Hywel 'na?'

'Nac ydw.'

'Wyt ti'n siŵr?'

'Ydw ... dw i'n meddwl.' **Ochneidiais** i'n ddwfn. (Dw i'n hoffi'r gair yna ... ochneidio ... mae o mor onomatopeic. A beth ydy hynny yn Gymraeg, tybed? O. Am siom: onomatopeig. O wel.) Edrychodd Dei arna i'n ofalus.

'Mae o'n fwy na Hywel, yn tydy?'

'Pwy? Mae llawer o bobl yn fwy na Hywel. Dydy o ddim yn dal iawn.'

---

ochneidio – *to sigh*

'Na, mae'r peth sy'n dy boeni yn fwy na Hywel.'

'O. Wel ... ydi ... fi sy'n fy mhoeni i. A dw i'n fwy na Hywel.'

'Ti?'

'Ie, fy mywyd i, fy ngwaith i ...'

'Dwyt ti ddim yn hapus yma?'

'Wedi diflasu ydw i, Dei.'

'Dyna pam rwyt ti'n crafu fel'na.'

'Mae'n ddrwg gen i?'

'Rwyt ti'n crafu drwy'r amser ... edrycha! Mae dy goesau di'n gwaedu!'

Roedd afonydd bach o waed yn diferu i lawr fy nghoesau. Do'n i ddim wedi **sylweddoli** fy mod i'n crafu.

'O diar ...'

Rhoddodd Dei **hances** bapur i mi. Wnes i sychu'r gwaed. Roedd Dei'n syllu arna i.

'Blodwen ...?'

'Be?'

'Oes gen ti gath?'

'Oes ... HRH. Pam?'

'Wel ... dw i'n meddwl ella bod ganddi hi **chwain**.'

'Beth ydy chwain?'

'*Fleas.*'

Saib. Ro'n i'n chwerthin.

'Her Royal Highness! Byth! Dyna syniad gwirion!'

'Wel ... anifail ydy hi wedi'r cyfan.'

'Ie, ond ... rwyt ti'n meddwl mai ... chwain sydd wedi ...'

Wnes i edrych ar y lympiau mawr coch ar fy nghoesau.

---

sylweddoli – *to realise*	**chwannen (chwain)** – *flea(s)*
hances – *handkerchief*	

'Ydw.'

'YYYYYCH!!!!!'

Ro'n i'n teimlo'n fudr, ac roedd fy nghorff i gyd wedi dechrau **cosi** rŵan. Ro'n i'n teimlo rhywbeth i lawr fy nghefn, yn fy ngwallt – bob man! Dw i 'n eu teimlo nhw wrth sgwennu amdanyn nhw rŵan!

'Hei,' meddai Dei, 'tyrd, ddo' i adre efo ti i weld, ia?'

'Plis. Diolch.'

'Dim problem, siŵr.'

'Dei?'

'Ia?'

'Wnei di ddim deud wrth Gwen?'

'Ddeuda i ddim gair wrth neb, dw i'n addo.'

Do'n i ddim isio i Gwen wybod **ar unrhyw gyfrif**. Mae hi'n meddwl fy mod i'n hipi budr, hollol **wallgof** yn barod. Ella bod hi'n iawn. Daeth Dei adre efo fi ar ôl i ni alw mewn siop yn y stryd fawr. Roedd gen i ofn agor drws y tŷ. Ro'n i'n ofni gweld **cymylau** o chwain yn neidio ata i yn sgrechian: 'Swper! Rŵan!'

Dei agorodd y drws. Cerddodd HRH heibio iddo fo â'i thrwyn a'i **chynffon** yn yr awyr. Edrychodd Dei arna i, yna ar HRH.

'**Gad i ni weld**,' meddai fo, ac **estyn amdani** hi. Chwiliodd o yn y blew am ychydig, ac yna neidiodd rhywbeth bach tywyll i'r awyr. Roedd Dei fel **mellten**. Daliodd o'r peth bach tywyll.

cosi – *to itch*	**cynffon** – *tail*
ar unrhyw gyfrif – *on any account*	**gad i ni weld** – *let's see*
gwallgof – *mad*	**estyn am** – *to reach for*
cymylau – *cloud(s)*	**mellten** – *a lightning bolt*

'Aha! Dyma ni, Blodwen! Chwannen!'

Estynnodd o'r peth i mi, ond do'n i ddim isio edrych. Ro'n i'n teimlo'n sâl. Es i allan i'r ardd, ac aeth Dei i mewn i'r tŷ. Fy **arwr**. Daeth o yn ôl allan efo dwy baned – yn llawn o siwgr eto. 'Paid â mynd i'r **lolfa** am ddwy awr,' meddai fo, 'wedyn agor y ffenestri i gyd, a hwfra bopeth.'

'Beth wyt ti wedi ei weud?' gofynnais i.

'Lladd y chwain,' gwenodd o.

'O. Diolch. Ond beth ydw i i fod i'w neud am ddwy awr?'

Edrychodd Dei o'i gwmpas. 'Beth am neud ychydig o chwynnu?' meddai fo.

'Chwynnu?'

'Ie, chwynnu ydy *'to weed'* a **chwyn** ydy'r **rhain**,' meddai fo, gan bwyntio at fy ngardd i.

'O. Ro'n i'n meddwl mai blodau o'n nhw.'

'Na, Blodwen.'

'O diar,' meddwn i'n drist, 'chwain a chwyn ...'

'Ia.'

'Mae fy mywyd i'n *complete mess*, Dei.'

'Llanast llwyr.'

'Be?'

'Llanast llwyr ydy *complete mess* yn Gymraeg! Dw i ddim yn deud mai llanast llwyr wyt ti.'

'Ond mae o'n wir.'

'Nac ydy. Anghofia am Hywel. Mi gei di ddyn gwell cyn i ti droi.'

'Hy.'

---

arwr – *hero*	**chwyn** – *weeds*
lolfa – *lounge*	**rhain** – *these*

'Ac mae gen ti dŷ bach del...'

'Sy'n llawn o chwain...'

'Oedd yn llawn o chwain...ac mae gen ti swydd dda, ac rwyt ti'n dda yn dy swydd.'

'Ydw i?'

'Wyt! Mae pawb yn deud pa mor glên a pharod i helpu wyt ti, wrth dy fodd yn siarad am lyfrau a bob amser yn gwenu.'

'Ydw i?'

'Wyt, fel giât – cofio?'

'O, ia...'

Gwenodd Dei arna i, ac mi wnes i wenu'n ôl.

'Dei,' meddwn i, 'mi ddylet ti fod yn **seiciatrydd**, nid dyn **llyfrgell deithiol**.'

Gwenodd Dei – fel giât – ond ddwedodd o ddim byd. Helpodd o fi i chwynnu am hanner awr, yna mi edrychodd o ar ei wats.

'**Argian**! Sbia faint o'r gloch ydy hi! Mi fydd y wraig yn fy **mlingo** i!'

'Dy flingo di?'

'Sginio fi – yn fyw! Mae swper **wastad** ar y bwrdd am chwech ar y dot. Well i mi fynd. Pob hwyl efo'r hwfro.'

A rhedodd o i ffwrdd fel dyn hanner ei oed.

Wnes i feddwl am ei fywyd o efo'i wraig. Hi'n gwneud bwyd iddo fo, fo'n mynd adre – ar y dot, sws iddi hi, eistedd wrth y bwrdd, a'r ddau'n gwenu ar ei gilydd dros

---

seiciatrydd – *psychiatrist*	blingo – *to skin (an animal)*
llyfrgell deithiol – *mobile library*	wastad – *always*
argian! – *good heavens!*	

eu **pastai cartref**, a'r llysiau o'r ardd. A wnes i ochneidio. Fasai Hywel ddim yn tyfu llysiau i mi, a faswn i ddim yn gwneud pastai iddo fo. Wel … mi allwn i wneud un iddo fo, a rhoi arsenig yn y grefi.

Mi wnes i droi'n ôl at y chwynnu. Roedd gen i fwy o chwyn na blodau, ac roedd y malwod wedi bwyta darnau mawr o'r blodau. Chwain a chwyn yn poeni Blodwen a'i blodau. Mae o bron fel barddoniaeth.

Ar ôl dwy awr, mi wnes i wisgo fy welingtons ac es i i mewn i'r lolfa – yn ofalus. Mi wnes i agor y ffenestri. Mi wnes i edrych o gwmpas, yn disgwyl gweld chwain wedi marw ar y carped, ond wnes i ddim gweld dim byd. Mi dynnais i'r hwfyr allan, a dechrau hwfro … Dim un chwannen. Mi wnes i godi'r mat bach, i hwfro o dano fo. Ro'n i'n hwfro'n hapus, pan wnes i weld rhywbeth yn neidio. Wnes i edrych ar fy welingtons – roedd chwain drostyn nhw i gyd. Roedd y chwain yn neidio! Mi wnes i sgrechian, taflu'r hwfyr, a rhedeg allan i'r ardd. Mi wnes i dynnu i fy welingtons a'u taflu nhw'n wyllt. Mi wnes i glywed sŵn od, a rhywun yn gweiddi. O, na. Mi es i i guddio yn y sied. Drwy'r twll yn y pren, mi wnes i weld rhywun yn dod i'r ardd – coesau dyn, a fy welington chwith yn ei law. Wnes i gau fy llygaid, yna: 'Blodwen? Hywel oedd o.

Wnes i droi 'n araf. Roedd o yn nrws y sied yn edrych yn od arna i. Wnes i godi ar fy nhraed.

'Ym …'

---

pastai cartref – *home-made pie*

'Dw i wedi clywed am *hell hath no fury like* ...
ond ... taflu welington ata i?'

'Do'n i ddim yn ceisio ...'

'O. Pam rwyt ti'n cuddio, 'ta?'

'Ym ...'

Roedd fy **nhafod** wedi rhewi. Ro'n i fel tomato.
Edrychodd o arna i fel athro'n edrych ar ferch fach chwech
oed.

'Do'n i ddim yn ceisio dy daro di, Hywel. Do'n i ddim
yn gwybod lle wnes i daflu nhw.'

'Hobi newydd, ia – taflu welingtons?'

'Paid â bod yn wirion.'

'Pwy sy'n wirion? Mi darodd o fi ar fy mhen, Blodwen!
Ac roedd o'n blydi brifo hefyd!'

'Mae'n ddrwg gen i.'

'Oes gen ti syniad pa mor beryglus ydi taflu welingtons
fel yna?'

'Mae'n ddrwg gen i.'

'Gallet ti fod wedi taro plentyn bach!'

'Hywel! Sori – iawn?'

Ro'n i'n dechrau **gwylltio**. Roedd o mor ... beth oedd
arrogant? Ie – ffroenuchel. Edrychodd o arna i'n **syn**. Do'n
i ddim wedi gweiddi arno fo o'r blaen. Wedi taflu peint
drosto fo, do, ond dyma'r tro cynta i mi weiddi.

'Hywel, gwranda,' meddwn i, 'do'n i ddim yn ceisio
taro neb, ro'n i jest isio tynnu fy welingtons, iawn?'

---

tafod – *tongue*	**syn** – *surprised*
gwylltio – *to get angry*	

'Dw i ddim wedi gweld neb yn tynnu welingtons fel yna o'r blaen.'

'Ro'n i **ar frys**.'

'Pam?'

'Achos…' Mi wnes i rewi. Do'n i ddim isio deud wrtho fo am y chwain. '… achos…ym…dw i ddim yn cofio.'

Roedd o'n edrych arna i'n od iawn, iawn rŵan.

'Blodwen? Wyt ti'n cymryd **cyffuriau**?'

Be? Roedd fy ngheg i fel ceg **pysgodyn aur**.

'Be? Cyffuriau? Fi?'

'Ie. Os nad wyt ti'n cymryd cyffuriau, mae angen help arnat ti.'

Roedd fy ngheg i fel ceg **morfil** rŵan. Wel, pysgodyn aur mawr iawn, ella.

'Dw i ddim yn cymryd cyffuriau,' meddwn i'n araf, 'dw i ddim angen help, a dw i ddim dy angen di!'

'Does dim angen gweiddi, Blodwen.'

'Oes! Beth wyt ti isio yma, beth bynnag?'

'Dim!' Roedd o'n gweiddi rŵan hefyd. 'Dw i ddim isio unrhyw beth! Mam ofynnodd i mi ddod achos dy blydi Blodeuwedd di!'

'Paid â **rhegi** ar Blodeuwedd! Beth sy'n bod efo hi?'

'Mae hi fel ei **pherchennog**, yn wallgof!' (Roedd hyn yn mynd yn rhy bell. Roedd hyn yn mynd yn rhy bersonol. Wnes i benderfynu fod angen i mi drafod yn **aeddfed**.)

ar frys – *in a hurry*	**rhegi** – *to swear*
cyffur(iau) – *drug(s)*	**perchennog** – *owner*
pysgodyn aur – *goldfish*	**aeddfed** – *mature*
morfil – *whale*	

'Hy! Dw i ddim yn wallgof! Ti sy'n wallgof, yn mynd efo … efo … tramp!' (Weithiau, mae hi'n anodd bod yn aeddfed.)

'Tramp?' **ffrwydrodd** Hywel. 'O'n, ro'n i'n wallgof yn mynd efo ti!'

'Dw i ddim yn dramp!' wnes i ffrwydro'n ôl.

'Ond ti'n gwisgo fel un! Un tew hefyd!!' gwaeddodd Hywel, a thaflu fy welington ar y llawr.

Ro'n i'n fud. Roedden ni'n dau yn goch ac yn edrych yn flin ar ein gilydd fel dau **geiliog**. Pam oedd rhaid i mi wisgo fy sgert goch hir a fy *lovebeads* heddiw? A dw i ddim yn dew. **Esgyrn** mawr sy gen i. Wnes i **anadlu** yn ddwfn.

'Hywel … rwyt ti'n … ti'n *high-nostrilled pillock!*'

'Be?'

'Na … *pillock* ffroenuchel!'

'And your Welsh is pathetic! No, it's worse than that – it's crap!'

Roedd hynny'n brifo. Mae fy Nghymraeg i wedi gwella. Dw i wedi bod yn gweithio'n galed iawn arno fo. Wnes i benderfynu fod angen i mi fod yn aeddfed eto.

'Hywel, dwed beth sy'n bod efo Blodeuwedd, wedyn dos – dw i byth isio dy weld ti eto.'

'Iawn. *Fine by me. Your stupid goat got through the fence, ate all my mam's lupins, then got into the house and ate a chunk out of the sofa! That goat is not normal –* a dan ni ddim isio hi acw! Mae hi yn y pic-yp. Dw i'n mynd i'w nôl hi, ei rhoi hi i ti, ac wedyn dw i'n mynd. Iawn?'

---

ffrwydro – *to explode*	**esgyrn** – *bones*
ceiliog – *cockerel*	**anadlu** – *to breathe*

'Iawn!'

A rŵan dw i yn y gegin. Dydy'r hwfyr ddim yn gweithio ar ôl i mi ei daflu fo, ac mae Blodeuwedd yn yr ardd yn bwyta'r blodau. Pam dydy hi ddim yn bwyta'r chwyn? Roedd heddiw yn ddiwrnod ofnadwy. Beth ydy *complete failure*? Dyma ni – dw i'n teimlo fel methiant llwyr – a thew. A dw i'n casáu Hywel. Ond dw i'n siŵr fy mod i wedi gweld rhywbeth bach yn neidio yn ei wallt o wrth iddo fo fynd. Ha ha.

Gorffennaf 2il – dydd Mawrth

Lle mae fy welington arall i?

Gorffennaf 3ydd – dydd Mercher

Dw i'n mynd ar ddeiet. Dw i'n dechrau yfory. Ond mae gen i rewgell yn llawn o fwyd neis iawn, felly mi af i ar ddeiet ar ôl bwyta hwnnw heno. Dw i wedi gwylltio'n ofnadwy efo Hywel. Galw fi'n dew? Galw fi'n dramp? Hy!

Gwers Gymraeg heno, a dw i wedi anghofio gwneud fy ngwaith cartref. A deud y gwir, dw i ddim yn cofio beth oedd o.

Dw i wedi **dod o hyd i** fy **nodiadau** o'r wers Gymraeg. Ro'n i i fod i ddarllen nofel Gymraeg a pharatoi sgwrs amdani hi. O diar. Dw i'n gweithio mewn llyfrgell a dw i ddim wedi darllen llyfr Cymraeg ers *Perygl yn Sbaen*.

---

dod o hyd i – *to find*   **nodiadau** – *notes*

A llyfr dosbarth oedd hwnnw. Bydd rhaid i fi ddewis llyfr y bore 'ma a pharatoi'r sgwrs amser cinio.

Gorffennaf 3ydd – nos Fercher

Roedd y llyfrgell yn llawn drwy'r dydd! Tipical! Ches i ddim amser i ddewis yn iawn, ond ro'n i wedi clywed bod rhywun wedi sgwennu llyfr am lyfrgellydd: *O'r Canol i Lawr.* Emyr Huws Jones ydy'r awdur. Felly mi wnes i gymryd hwnnw o'r silff a cheisio ei ddarllen yn sydyn iawn, iawn amser cinio.

Roedd yr iaith a'r **arddull** yn anodd, ond dw i'n meddwl mod i wedi cael y *gist*. Wel, os ydy ychydig o'r dechrau a'r ddwy dudalen olaf yn rhoi'r *gist*. Beth ydy *gist* yn Gymraeg, beth bynnag?

O. Mae tri dewis: hanfod, swm, sylwedd. Iawn. Dw i'n meddwl mod i wedi cael hanfod, swm a sylwedd y llyfr. (*Not necessarily in that order.*)

Dyn ydy'r llyfrgellydd: Emlyn Finch, a dydy o ddim yn hapus yn gweithio yn y llyfrgell. (O, helô!) Ac un diwrnod mae o'n cael **ffrwgwd** efo tramp. (Helô eto … dyma'r llyfr i mi.) Do'n i ddim yn gwybod beth oedd ffrwgwd, felly wnes i ofyn i Gwen. Doedd hi ddim yn gwybod chwaith. Dw i'n dechrau gweld rŵan pam mae hi'n siarad Saesneg efo fi … diddorol.

Ond roedd Mr Edwards yn gwybod:

---

arddull – *style*   **ffrwgwd** – *brawl*

'Ffeit, Blodwen!' meddai fo. 'Fel ges i efo'r **lleidr** bach 'na!'

'O ie, diolch, Mr Edwards,' meddwn i.

Mae Mr Edwards yn siarad am y ffrwgwd hwnnw rhyngddo fo a'r dyn oedd yn ceisio dwyn CDs bob tro mae o'n dod i'r llyfrgell. Dw i ddim yn meddwl bod gynno fo fywyd diddorol iawn. Beth bynnag, yn y wers, dyma beth wnes i ddeud am y llyfr:

Mae Emlyn Finch yn llyfrgellydd, a dydy o ddim yn hapus efo'i fywyd. Ac un diwrnod mae o'n cael ffrwgwd efo tramp. Mae ei fywyd yn newid ar ôl hyn; mae o'n colli ei swydd, mae o'n yfed llawer yn y dafarn, mae o'n gorffen efo'i gariad, Elaine, sy'n siarad am soffas o hyd, mae o'n cael ffling efo Maureen y llyfrgellydd plant, ac mae o'n cael swydd mewn **iard gychod**. Wedyn mae'n **dyweddïo** efo Elaine ac yn prynu soffa, ac yn gweld y tramp eto. Ac mae 'na lawer iawn o regi yn y llyfr.

Roedd Andrew isio ei ddarllen yn syth pan wnes i ddeud hynny.

'Da iawn, Blodwen,' meddai Menna. 'Wnest ti ddewis y llyfr achos y llyfrgell?'

'Do. Roedd hi'n brysur iawn yno.'

'Na, meddwl am y **pwnc** ro'n i – bod Emlyn yn llyfrgellydd – fel ti.'

'O. Ia, a hynny.'

'Gest ti hwyl yn ei ddarllen?'

---

lleidr – *thief*	**dyweddïo** – *to get engaged*
iard gychod – *boatyard*	**pwnc** – *subject, topic*

'Do, diolch,' meddwn i. (Mi ges i 5 munud yn y tŷ bach efo fo achos wnes i golli coffi dros dudalen 33 amser cinio.)

'A beth rwyt ti'n feddwl ohono fo?' gofynnodd Menna.

'Mae o'n **gredadwy**,' meddwn i'n gyflym, 'yn **ddychanol** ac yn **hynod o ddoniol**.' (Dyna beth mae o'n ddeud ar y cefn, ac ro'n i wedi ei ddysgu.)

'O!' meddai Menna. Roedd hi'**n amlwg** yn *impressed*.

(Beth ydy hynny yn Gymraeg?) Mae'r geiriadur yma mor drwm, bydd gen i **gyhyrau** fel Arnold Schwarzenegger erbyn i mi orffen y dyddiadur yma. Dyma fo…yn llawn **edmygedd**. Roedd Menna yn amlwg yn llawn edmygedd. Roedd **gweddill** y dosbarth hefyd.

'Blimey, Blodwen!' meddai Andrew. 'Wyt ti wedi **llyncu** geiriadur?'

'O, Andrew!' meddai Jean, 'dydy hi ddim mor dew â hynny!'

Tawelwch. Edrychodd pawb ar Jean.

'Be?' gofynnodd hi.

'Ddim dyna o'n i'n feddwl, Jean,' eglurodd Andrew yn dawel. 'Rwyt ti'n deud llyncu geiriadur pan fydd rhywun yn defnyddio geiriau mawr, hir.'

'Dw i'n gwybod. Jôc oedd o,' dwedodd Jean.

Doniol iawn. Ro'n i'n teimlo'n dew ac ro'n i'n goch.

credadwy – *believable*	**cyhyr(au)** – *muscle(s)*
dychanol – *satirical*	**edmygedd** – *admiration*
hynod o ddoniol – *incredibly funny*	**gweddill** – *the rest, the remainder*
	llyncu – *to swallow*
yn amlwg – *obviously*	

'Beth bynnag,' meddai Jean wedyn, 'darllen cefn y llyfr mae hi!'

Rats. Roedd hi wedi gweld cefn y llyfr. Es i'n goch iawn, iawn.

Ffoniodd Mam heno. Roedd hi wedi gweld Auntie Grace, oedd wedi fy ngweld i yn siop Browns of Chester bythefnos yn ôl. Roedd hi wedi deud wrth Mam mod i'n edrych yn dda, felly mae Mam yn mynd i anfon taflen Weight Watchers ata i. Hy! Ond roedd hi'n falch o glywed mod i'n siopa yn Browns.

'I hope you bought something decent, and that you've finally grown out of that silly hippy stage.'

Wnes i ddim deud mai dim ond pasio drwy Browns o'n i. Dw i'n hoffi fy nillad – maen nhw'n gyfforddus.

Gorffennaf 4ydd – dydd Iau

Dw i'n teimlo'n sâl. Wnes i sylweddoli fod bwyta popeth neithiwr yn syniad **dwl**. Ond wnes i ddim sylweddoli hyn nes i mi orffen y *fromage frais* (**braster llawn**), y Brie, y *crème caramel* a hanner y bara brith. O, a'r paflofa. Dw i wedi rhoi popeth arall i Blodeuwedd. Ond mae'r deiet wedi mynd yn dda heddiw. Dw i wedi teimlo'n rhy sâl i fwyta dim.

Wnes i weld Dei bore 'ma.

'Sut mae'r broblem?' gofynnodd o'n dawel (roedd Gwen wrth ei ymyl).

---

dwl – *stupid*   **braster llawn** – *full fat*

'Pa broblem? Mae gen i lawer o broblemau,' atebais i.

'Yr un … ym, yr un efo'r gath.'

'O! Wedi marw,' meddwn i.

'*Oh, your cat died*?' gofynnodd Gwen. Mae gynni hi glustiau fel eliffant.

'Na!' meddwn i.

'*Who died then*?'

'Mam y gath,' atebodd Dei. Mi ges i winc gynno fo, ac i ffwrdd â fo.

Edrychodd Gwen yn drist arna i.

'*High time he retired*,' meddai hi, '*he's going senile*.'

Ar ôl cinio, daeth dyn bach blin ata i. Dw i ddim yn gwybod ei enw o, ond mae o yn yr ystafell ddarllen bron bob dydd. Mae hi'n hawdd gwybod fod o yno achos y sŵn. Mae o'n **tagu** bob pum munud, ar y dot. Dw i'n gwybod, mae Mr Edwards wedi ei **amseru** o. Mae o'n sŵn uchel a hyll iawn, rhywbeth fel **injan** tractor neu ddafad. (Dach chi wedi clywed dafad yn tagu ar noson dywyll? Mae o'n ddigon i roi **trawiad calon** i chi.) Mae'r dyn yma'n gyrru Mr Edwards yn wallgof. Wel, mae o'n gyrru pawb yn wallgof, ond beth allwn ni ei wneud? Ella fod gynno fo **afiechyd** ofnadwy sy'n gwneud iddo fo dagu fel 'na bob pum munud.

Nid ei **fai** o ydy o. Beth bynnag, daeth Mr Tagu ata i.

'Esgusodwch fi, dw i isio neud **cwyn**,' meddai fo.

---

tagu – *to cough, to choke*	**afiechyd** – *disease*
amseru – *to time (something)*	**bai** – *fault*
injan – *engine*	**cwyn** – *complaint*
trawiad calon – *heart attack*	

'Cwyn? O, mae'n ddrwg gen i. Beth sy'n bod?' wnes i ofyn iddo fo.

'Mae papurau newydd yn **hirsgwar**,' meddai fo'n uchel.

'Ydyn, fel arfer,' meddwn i'n dawel.

'Ond mae eich byrddau chi'n **grwn**,' meddai fo wedyn.

'Wel ... ydyn,' wnes i ateb.

'Mae'r peth yn **hurt**!'

'Mae'n ddrwg gen i? Beth sy'n hurt?'

'Disgwyl i ni ddarllen papurau hirsgwar ar fyrddau crwn!' gwaeddodd o.

'Ym ...' Do'n i ddim yn gwybod beth i'w ddeud.

'Dach chi ddim yn gwybod beth i'w ddeud, dach chi?' meddai fo.

'Wel ...'

'Wel, dw i isio neud cwyn. A dw i'n gweld dach chi ddim yn mynd i helpu, felly dw i'n mynd at y top. Dw i'n mynd i sgwennu at y Cyngor Sir i ddeud bod hyn yn hurt.'

'Ydy ... mae o.'

'Dach chi'n gwenu, madam?'

'Fi? Nac ydw, syr.'

'Iawn, achos dydy o ddim yn ddoniol o gwbl.'

'Nac ydy, ddim o gwbl.'

Ac i ffwrdd â fo. Rhyfedd ... dydy o ddim yn tagu pan mae o'n siarad. Ond ar ôl iddo fo fynd, wnes i dagu am amser hir, tagu **nes** i mi grio.

hirsgwar – *rectangular / rectangle*	**hurt** – *stupid*
crwn – *round*	**nes** – *until*

Gorffennaf 9fed – dydd Mawrth

Dw i'n casáu bod ar ddeiet. Mae o mor ddiflas. Mi ges i wy wedi ei ferwi i frecwast, brechdan letys a **chaws bwthyn** i ginio, a chawl (heb hufen) i swper. A rŵan dw i'n cael oren i bwdin. Dw i wedi ei rannu o'n 30 **darn**, a dw i'n gwneud i bob darn barhau am 5 munud. Dw i wedi penderfynu bod ymarfer corff yn well syniad. Dw i'n mynd i ddechrau rŵan.

Hanner awr wedyn:

Ar ôl deuddeg *sit-up* roedd fy mol yn brifo, a do'n i ddim yn gallu cofio am ymarfer arall, dim ond *press-ups* a dw i ddim yn gallu'u gwneud nhw. Ac ro'n i isio bwyd. Felly mi ges i fanana ar dost. Ac oren arall. O leia dw i'n cael digon o fitamin C.

Dw i newydd edrych yn y geiriadur i weld beth ydy *sit-up* a *press-up*. Dydy o ddim yn deud beth ydy *sit-up* (wel, mae o'n deud 'eistedd i fyny' ond dydy hynny ddim yr un peth, nac ydy?), ond 'ymwthiad' ydy *press-up*.

Ymwthiad? Mae o'n swnio braidd yn … wel … **rhywiol**, i mi. Mae hynny'n fy atgoffa i: dw i ddim wedi gwneud hynny ers talwm chwaith.

---

caws bwthyn – *cottage cheese* **rhywiol** – *sexual*
darn(au) – *piece(s)*

Gorffennaf 10fed – dydd Mercher

Diwrnod poeth iawn. 'Diwrnod chwilboeth,' meddai Dei. Dw i'n hoffi'r gair yna. Chwilboeth: poeth ofnadwy, mor boeth mae pobl yn meddwi ar y gwres!

Mae pawb yn gwisgo siorts a thopiau bach bach. Hyd yn oed pobl sy ddim yn fach o gwbl – fel Brenda. Dw i ddim yn deall hyn. Mae pobl fel Brenda'n poeni ydyn nhw'n edrych yn dew drwy'r amser, ond pan mae'r haul yn dod allan maen nhw'n gwisgo pethau sy'n cuddio dim. Wedyn mae hi'n hollol amlwg eu bod nhw'n dew. Ydyn nhw'n credu bod croen coch yn edrych yn denau?

Dw i ddim yn dew: esgyrn mawr sy gen i, ond dw i ddim yn gwisgo siorts i fynd i siopa. Dw i'n gwisgo sgert neu drowsus hir, **llac**, wedyn dw i'n dangos fy nghoesau yn yr ardd – i Blodeuwedd a HRH. Mae Mam bob amser yn deud: *'A woman should keep her allure ...'* a dw i'n cytuno. Dw i ddim isio gweld **cnawd** (dw i'n hoffi'r gair yna) **noeth** yn y stryd. Mae hi'n iawn ar lan y môr ond ddim yn y siop ffrwythau, a ddim pan dw i isio prynu iogwrt. Dw i ddim isio gweld cnawd noeth neb. Wel ... basai dyn **cyhyrog** yn fy ngwely i'n neis. *Dream on*, Blodwen.

Mae gweld merch â choesau **siapus** yn gwneud i mi deimlo'n sâl hefyd. Sâl efo **cenfigen**.

Mae gan y ferch oedd efo Hywel goesau da, *dammit*. A dydy hi ddim yn dew o gwbl. Mi wnes i ei gweld hi yn

llac – *loose*	**cyhyrog** – *muscular*
cnawd – *flesh*	**siapus** – *shapely*
noeth – *naked, bare*	**cenfigen** – *jealousy*

y fferyllfa heddiw; roedd hi'n gwisgo top oedd yn dangos ei **botwm bol**. Mae hi wedi rhoi styd ynddo fo. Felly rŵan mae gynni hi ddau styd. Ast.

Taswn i'n cael styd yn fy motwm bol, fasai neb yn gweld y styd eto. Fasen nhw ddim yn gallu dod o hyd iddo fo. Ha ha. Jôc. Dw i ddim yn dew.

Dw i isio gwyliau. Mae gen i bythefnos i'w gymryd ym mis Awst, ond dw i ddim yn gwybod lle i fynd. Ro'n i wedi gobeithio mynd i rywle **rhamantus** efo Hywel, ond dwedodd o fod hynny'n amhosib – dydy ffermwyr byth yn cael gwyliau, ac mae mis Awst yn amhosib i ffermwyr, beth bynnag – dyna pryd maen nhw'n **hel gwair**. Dw i'n meddwl doedd o ddim isio mynd ar wyliau efo fi. Mae'n siŵr bod **blonden** ifanc efo styd botwm bol yn edrych yn well wrth ei ochr o ar y traeth na *brunette* 30-rhywbeth (iawn, bron yn 40) llawn *cellulite* a *thread veins* – a chrachod chwain.

Ganol y bore, mi wnes i gofio mod i heb wneud *sit-ups* amser brecwast. Felly es i i'r tŷ bach anabl a gwneud deuddeg *sit-up* yno. Roedd hi'n anodd iawn. Yn anffodus, wnaeth Gwen weld fi'n dod allan. Edrychodd hi'n od arna i.

'*What on earth have you been doing in there?*'

'Fi? Dim byd, pam?'

'O. Dim.'

Edrychodd hi'n od arna i eto, a mynd. Es i'n ôl i'r

---

botwm bol – *belly button*	**hel gwair** – *haymaking*
rhamantus – *romantic*	**blonden** – *blonde*

tŷ bach ac edrych yn y **drych**. Ro'n i'n goch ac yn **chwysu**. Ac wedyn mi wnes i sylweddoli: ro'n i **siŵr o fod** wedi bod yn gwneud sŵn rhyfedd iawn. O, na ... mae Gwen yn siŵr o feddwl bod gen i broblem fach ...

Roedd y wers Gymraeg heno yn ddiflas. Roedd Menna wedi gofyn i **hanesydd** lleol ddod i sgwrsio efo ni. Ond chaethon ni ddim sgwrs, dim ond **araith** – am awr. Araith hir, ddiflas, a doedd gan y dyn ddim hiwmor. Aeth Andrew i gysgu, a phan ddechreuodd o chwyrnu, mi gaethon ni i gyd y *giggles* (dim syniad beth ydy hynny yn Gymraeg). Roedd Menna mor flin efo ni. Ond hi ofynnodd i'r dyn diflas ddod i siarad efo ni, felly ei bai hi oedd o. O! Bron i mi anghofio! Daeth Mr Jones y **llyfrgellydd bro** i fy ngweld i heddiw.

'Blodwen,' meddai fo, 'mae gen i swydd newydd i ti! Swydd **dros dro** ar y llyfrgell deithiol!'

'Y llyfrgell deithiol? Y fan? Dach chi isio i mi yrru'r fan?'

'Na, na ... mynd ar y fan efo Dei, fel *Reader in Residence* – i helpu pobl i ddewis llyfrau, trafod llyfrau, eu **hannog** i ehangu eu **hamrediad** darllen.'

'Mae'n ddrwg gen i ... eu hannog i be?'

'*Expand their horizons*, Blodwen!'

'Fi!'

drych – *mirror*	**llyfrgellydd bro** – *area librarian*
chwysu – *to sweat*	**dros dro** – *temporary*
siŵr o fod – *surely, probably*	**annog** – *to encourage*
hanesydd – *historian*	**amrediad** – *range*
araith – *a speech*	

'Dim byd fel 'na, Blodwen,' **chwarddodd** o, 'dim ond eu **harferion** darllen!'

Am beth roedd o'n siarad?

'Rwyt ti'n gwybod,' meddai fo. 'Cael y merched sy'n darllen dim byd ond llyfrau **rhamant** i **roi cynnig ar** rywbeth arall, a chael y dynion sy'n darllen dim byd ond Wilbur Smith i roi cynnig ar … ym …'

'Hemingway? 'meddwn i'n syth.

'Ia! Ro'n i'n gwybod mai ti oedd yr un i'r swydd! Llongyfarchiadau, Blodwen – rwyt ti'n dechrau dydd Llun! Tri diwrnod yr wythnos.'

Ac i ffwrdd â fo. Wnes i droi at Gwen. Doedd hi ddim yn hapus.

'Wel,' meddai hi'n sych, '*I might actually manage to get this place nice and tidy now.*' Buwch.

Dydd Llun? Dw i'n edrych ymlaen!

Gorffennaf 15fed – dydd Llun

Mi ges i hwyl ar y fan efo Dei. Mae'r fan mor uchel – ro'n i'n gallu gweld pethau dw i ddim yn gallu eu gweld nhw yn y car: tai hyfryd dw i erioed wedi eu gweld o'r blaen, afonydd, y môr … roedd hi'n hyfryd! A bob tro roedden ni'n cyfarfod bws neu **lori gyngor**, roedd Dei yn **codi llaw** ar y gyrrwr.

chwarddodd – *he / she laughed*	**rhoi cynnig ar** – *to have go at, to try*
arfer(ion) – *habit(s)*	
rhamant – *romance*	**lori gyngor** – *council lorry*
	codi llaw – *to wave*

'Wyt ti'n eu nabod nhw?' wnes i ofyn iddo fo.

'Nac ydw, dim ond *etiquette* y ffordd ydy o,' meddai fo.

Ro'n i'n hoffi hynny. Mae'r fan yn llydan iawn, a'r ffyrdd yn **gul**, a phan oedd bws yn ein cyfarfod ni ar gornel, ro'n i'n cau fy llygaid. Ond roedd Dei yn yrrwr da.

'Wyt ti wedi cael damwain erioed?' wnes i ofyn.

'Nac ydw, dim ond **ambell sgriffiad**,' atebodd o. 'Mae loris a bysus eraill yn iawn, maen nhw bob amser yn gyrru'n dda. Gyrwyr ceir a **cherddwyr** *kamikaze* ydy'r broblem – edrych!'

Roedd dyn ifanc newydd **gamu** allan o flaen y fan. Breciodd Dei ac ysgwyd ei ben. Doedd y dyn ddim wedi sylwi bod Dei wedi gorfod brecio.

'Dw i ddim yn deall,' meddai Dei, 'mae hyn yn digwydd yn aml. Ydy'r fan fawr wen yma'n anodd ei gweld neu rywbeth?'

'Wel...mae 'na lawer o goed yma,' meddwn i. 'Ella dylet ti ei phaentio hi mewn lliw arall.'

'Ia, coch a streipiau melyn fasai'n neis...'

'Ia. A beth am gael cerddoriaeth fel fan hufen iâ, i bobl gael gwybod fod ti wedi cyrraedd?'

'Hei! Dyna syniad da!'

Mae'r fan yn swnllyd iawn, a dydy hi ddim yn gallu mynd yn gyflym; 50 milltir yr awr **ar y mwya**. A dw i'n hoffi'r *windscreen wipers*. Maen nhw'n rhyfedd iawn;

cul – *narrow*	**cerddwr / cerddwyr** – *walker(s)*
ambell sgriffiad – *the odd scratch*	**camu** – *to step*
	ar y mwya – *at the most*

38

dyn nhw ddim yn gweithio ar yr un **cyflymder**. Mae'r un chwith yn llawer mwy cyflym na'r un dde, a phob pum munud maen nhw'n cyfarfod yn y canol efo **clec** ofnadwy.

'Pam dwyt ti ddim yn eu trwsio nhw, Dei?' wnes i ofyn iddo fo.

'I be? Mae hi'n hwyl aros am y glec,' meddai fo.

Wnes i edrych ar y **llanast** oedd gynno fo ym mlaen y fan: hen bapurau siocled, llyfr cwis *Trivial Pursuit* a map o Brydain...

'Dei?' gofynnes i. 'Wyt ti'n nabod yr **ardal** yma?'

'Fel cefn fy llaw,' meddai fo. 'Pam?'

'Pam rwyt ti isio map os wyt ti'n nabod yr ardal mor dda?'

'O...mae pobl o hyd yn stopio i ofyn y ffordd i rywle, neu i ofyn lle mae rhywbeth, felly mae'r map yn ddefnyddiol iawn i ddangos iddyn nhw. Fi ydy *reference section* y fan!'

'O. Pam y *Trivial Pursuit*, 'ta?'

'Rhywbeth i'w neud pan fydd hi'n dawel. Ac mae pobl yn disgwyl i mi wybod popeth.'

'O.'

'Ond fel rwyt ti'n gwybod, nid llyfrgellydd ydw i, ond dyn HGVs. Dw i'n gwybod tipyn am injans ond dim byd am beth oedd yn gyrru Kate Roberts...'

'Dw i ddim yn gwybod llawer amdani hi, chwaith.'

'Dw i'n siŵr dy fod ti. Ew, bydd hi'n braf cael rhywun sy'n deall llyfrau i ateb yr holl gwestiynau dw i'n eu cael.'

---

cyflymder – *speed*	**llanast** – *mess*
clec – *crack, snap*	**ardal** – *area*

O diar. Ro'n i'n dechrau teimlo'n nerfus. Roedden ni wedi cyrraedd y pentref cynta. Tynnodd Dei i mewn i faes parcio wrth ymyl y toiledau **cyhoeddus**.

'Does dim tŷ bach ar y fan,' meddai fo efo winc.

Agorodd y drws, ac mewn dau funud roedd y fan yn **siglo** wrth i bobl ddringo i mewn. Ro'n i'n teimlo'n ... beth ydy *sea-sick*? – o, sâl môr.

'Helô, Dei, sut dach chi?' gofynnodd un hen ŵr.

'Dal i gredu, Mr Evans,' atebodd Dei.

Edrychodd y gŵr arna i.

'Beth ydy hon, eich bit o fflyff?'

Chwarddodd Dei. 'Dim ond yn fy **mreuddwydion**, Mr Evans! Blodwen ydy hon, llyfrgellydd go iawn.'

Ro'n i'n goch. Bit o fflyff?

'O,' meddai Mr Evans efo diddordeb, 'o'r diwedd! Rhywun swyddogol. Dw i isio cwyno! Mae'r silff waelod acw'n rhy isel i hen bobl fel fi.'

'Mae'n ddrwg gen i, ond ...' meddwn i, ond ches i ddim cyfle i orffen.

'Dan ni ddim yn gallu plygu i lawr ati hi!' meddai Mr Evans. 'Mae'r peth yn wirion!'

Wnes i edrych ar y silff. Roedd o'n iawn, wrth gwrs.

'Ac mae'r diawl bach yma'n **mynnu** rhoi'r llyfrau gorau i gyd ar y silff waelod, jest i fy ngwylltio i!' meddai fo, gan bwyntio at Dei.

'Dw i ddim isio i chi gael eich dwylo budr ar y llyfrau newydd,' atebodd Dei.

---

cyhoeddus – *public*	**breuddwyd(ion)** – *dream(s)*
siglo – *to rock*	**mynnu** – *to insist*

Ro'n i **wedi drysu**. Dw i byth yn deall sgwrs dynion. Maen nhw'n deud pethau cas wrth ei gilydd o hyd, a dw i byth yn gwybod ydyn nhw **o ddifri**. Dydy merched ddim yn deud pethau cas wrth ei gilydd fel 'na, wel, dim fel jôc. Os ydy merch yn deud pethau cas wrth ferch arall, mae hi o ddifri. Beth bynnag, roedd Dei'n chwerthin a Mr Evans yn hanner gwenu, felly dw i'n meddwl mai **tynnu coes** roedden nhw.

'Dydy Blodwen ddim yn gallu helpu efo silffoedd,' eglurodd Dei. 'Yma i'ch helpu chi i ddewis llyfrau mae hi.'

'Iawn!' meddai Mr Evans yn syth. 'Dw i isio cwyno am hynny hefyd!'

O, na...

'Mae'r llyfrau 'ma i gyd wedi eu sgwennu gan ferched,' meddai Mr Evans yn **chwyrn**, 'a dw i ddim isio darllen stwff merched! Mae llawer o ferched efo gormod o amser ar eu dwylo – ac ar y pil mae'r bai!'

'Esgusodwch fi?' gofynnais i.

'Dydyn nhw ddim yn cael digon o fabis i'w cadw nhw'n brysur!'

Ac yna dechreuodd Dei chwerthin nes iddo fo fod yn sâl. Es i i siarad efo hen ddynes (doedd 'na neb ifanc yno). Roedd hi wedi dod â chwe llyfr yn ôl, un ohonyn nhw oedd *Charlotte Gray* gan Sebastian Faulks.

'O, dw i wedi darllen hwn hefyd,' meddwn i. 'Wnaethoch chi ei fwynhau o?'

wedi drysu – *confused*	**tynnu coes** – *to pull one's leg*
o ddifri – *serious*	**chwyrn** – *stern*

'Naddo, gormod o ryw ynddo fo i mi,' atebodd hi cyn ychwanegu, 'Mae o'n dod ag **atgofion** yn ôl…'

Do'n i ddim yn gwybod beth i'w ddeud wedyn. Ond aeth y diwrnod yn gyflym iawn; wnes i fwynhau trafod llyfrau. Doedd rhai pobl ddim isio newid eu steil o ddarllen o gwbl, ond roedd rhai yn hapus i mi **gynnig** syniadau. Beth synnodd fi oedd cyn lleied o siaradwyr Cymraeg sy'n darllen llyfrau Cymraeg.

'Maen nhw'n rhy anodd/sych.'

'Dw i ddim yn deall yr iaith.'

'Sori, fedra i ddim derbyn bod *international spies* yn siarad Cymraeg.'

'*Romances* dw i'n eu licio, dach chi'n gweld, a dydy hi ddim **yr un fath** yn Gymraeg, nac ydy? Dim ond yn Saesneg gallwch chi ddeud *I love you*.'

Wnes i ofyn i Dei ar y ffordd adref:

'Wyt ti'n deud "Dw i'n dy garu di" neu "*I love you*" wrth dy wraig, Dei?'

'Pardwn?'

'Glywest ti fi.'

'Do,' meddai fo'n swil. 'Ym…wel…dw i ddim yn gorfod ei ddeud o. Mae hi'n gwybod. Dan ni'n briod ers bron i bedwar deg mlynedd!'

'Ond beth ddudest ti wrthi hi cyn i chi briodi?'

'Dw i ddim yn cofio.'

'Dei!'

'Pam wyt ti'n gofyn rhywbeth mor wirion?'

---

atgofion – *memories*	**yr un fath** – *the same*
cynnig – *to offer, to try*	

Wnes i egluro wrtho fo am y sgwrs ges i efo'r ddynes oedd yn hoffi darllen rhamant – ond dim ond yn Saesneg. 'Wel…' meddai fo, ar ôl meddwl. 'Dw i'n meddwl mai effaith ffilmiau Hollywood ydy o. Saesneg oedd iaith rhamant, ac iaith y capel oedd Cymraeg.'

Do'n i ddim wedi meddwl am hynny o'r blaen. Ond does dim pwynt i mi feddwl am glywed neb yn deud 'Dw i'n dy garu di' mewn unrhyw iaith. Dydy hi ddim yn mynd i ddigwydd i mi. Dw i ar y silff – silff isel fan y llyfrgell. Beth bynnag, dw i'n mynd i fwynhau gweithio efo Dei. Mae o mor wahanol i Gwen.

Gorffennaf 16eg – dydd Mawrth

Diwrnod hyfryd arall! Awyr las, haul braf a phobl **ddifyr** iawn. Ac mi gafodd Dei a fi bicnic wrth ymyl Llyn Gwynant amser cinio. Roedd gynno fo focs mawr Tupperware o frechdanau roedd ei wraig wedi eu gwneud iddo fo – rhai caws, cig moch, ac wy, a thri math o deisen – a chreision a siocled. Mae hi mor dda. Roedd gen i un rôl diwna drist, ac afal. Ond mi ges i un o deisennau Dei gynno fo. Roedd hi'n fendigedig. Roedd popeth yn fendigedig. Pwy sy isio **mynd dramor** am wyliau? Mae Cymru mor hardd. Wel, pan fydd hi'n braf.

Ro'n i'n dal i wenu pan wnes i gyrraedd adre – nes i mi weld Blodeuwedd yng ngardd drws nesa. Doedd y bobl ddim adre, diolch byth, felly mi redes i i mewn i'r

---

difyr – *pleasant, amusing*   **mynd dramor** – *to go abroad*

ardd i'w nôl hi. Roedd hi wedi bwyta eu delphiniums i gyd, a'r letys. A dyna lle roedd fy welington arall i. Ond dyna'r unig beth da am y peth. Doedd Blodeuwedd ddim isio gadael – roedd hi wedi dechrau ar y dahlias – ac mi ges i dipyn o ffeit i wneud iddi hi ddod adre. Beth dw i'n mynd i'w wneud efo hi? Mae hanner y stryd yn fy nghasáu i achos Blodeuwedd. Roedd hi'n **dianc** drwy'r amser, cyn i Hywel ei rhoi hi yn ei gae. A rŵan does gen i ddim Hywel a dim cae. Ond mae gen i Blodeuwedd. Dw i'n ei **chlymu** hi i **bostyn** yn yr ardd, ond mae hi'n dianc bob tro. Dw i ddim yn gwybod sut. Mi ddylwn i fod wedi ei galw hi yn Houdini, ddim Blodeuwedd. Mae Dei'n deud ddylwn i brynu sied yn arbennig iddi hi. Ond basai angen **tsiaen** a phadloc a **ffens drydan** o amgylch honno hefyd. Dw i'n meddwl ddylwn i ei gwerthu hi. Ond dw i'n teimlo'n ofnadwy. Er ei bod hi'n boen ac yn niwsans, dw i'n ei charu hi – a dw i'n meddwl bod HRH wedi dechrau **dod i arfer efo** hi hefyd.

Gorffennaf 17eg – dydd Mercher

Diwrnod da arall ar y fan, a gwers Gymraeg heno – gwers ddiddorol. Roedd Menna wedi casglu llyfrau, lluniau ac **erthyglau** am **Ynys Enlli**, ynys fach wrth ymyl Aberdaron.

dianc – *to escape*	**ffens drydan** – *electric fence*
clymu – *to tie*	**dod i arfer efo** – *to get used to*
postyn – *post*	**erthygl(au)** – *article(s)*
tsaen – *chain*	**Ynys Enlli** – *Bardsey Island*

Ro'n i wedi clywed am Bardsey Island, ond do'n i ddim yn gwybod bod enw Cymraeg ar y lle.

'Do'n i ddim yn gwybod bod enw Saesneg ar y lle am flynyddoedd, chwaith!' meddai Menna.

'Mae'n *really strange* cael enwau Cymraeg a Saesneg ar leoedd yng Nghymru,' meddai Andrew.

'Ie, mae'n teimlo fel gwlad *schizophrenic*,' meddai Roy. 'Beth ydy hynny yn Gymraeg?'

'Ym … sgitsoffrenig, dw i'n meddwl,' meddai Menna. 'Ond ie, Roy, rwyt ti'n iawn, ac achos bod y Cymry Cymraeg a'r di-Gymraeg wedi bod cymaint ar wahân ers blynyddoedd …'

'Beth ydy ar wahân?' gofynnodd Jean.

'*Separate, apart*,' atebodd Menna. 'Achos bod nhw wedi bod cymaint ar wahân, mae getos bach Saesneg mewn rhai rhannau o Gymru.'

'Ia, ffermwyr cyfoethoglyd yn Sir Benfro ers … oh … *ages and ages*,' meddai Brenda.

'Cyfoethog, Brenda, nid cyfoethoglyd,' meddai Menna. Ond doedd dim pwynt. Dydy Brenda byth yn gwrando.

'A phobl **awyr agored**, **dringwyr** ac ati yn Eryri heddiw,' meddai Michelle.

'Dyna ni,' meddai Menna. 'Pawb yn *doing their own thing* a ni'r Cymry yn neud dim byd i rannu ein **diwylliant** efo'r **newydd-ddyfodiaid**.'

'*Bloody good thing* hefyd,' meddai Andrew, 'neu basai'r Eisteddfod yn Saesneg heddiw.'

---

awyr agored – *outdoor*	**diwylliant** – *culture*
dringwyr – *climbers*	**newydd-ddyfodiaid** – *newcomers*

'Ia,' meddai Menna, 'ond achos bod ni wedi bod mor ar wahân, mae pethau trist wedi digwydd **yn ieithyddol**. Fel yn fy nosbarth nos Lun – gofynnodd un dyn o'n i wedi dringo'r Rivals. "Y Rivals?" gofynnes i. "Lle maen nhw?" Doedd y dosbarth ddim yn gallu credu'r peth. "Dach chi'n byw yng Ngwynedd a dach chi ddim yn gwybod lle mae'r Rivals?" meddai pawb. "Mae hynny'n ofnadwy!" Mi gymerodd o dipyn o amser i mi ddeall bod nhw'n sôn am yr Eifl.'

Do'n i ddim yn gwybod lle roedd yr Eifl na'r Rivals, ond ddudes i ddim byd.

Beth bynnag, roedd Ynys Enlli'n swnio'n fendigedig. Mae Menna isio trefnu trip dosbarth yno un dydd Sadwrn cyn diwedd yr haf, ac mi wnes i roi fy enw i lawr yn syth.

Gorffennaf 18fed – dydd Iau

Ro'n i'n ôl yn y llyfrgell efo Gwen heddiw. Mi ges i groeso mawr gynni hi.

'*Oh, you're back, are you?*

'Ydw.'

'*Well, don't mess up the desk, then. I've got it **fel pin mewn papur**, and I want it to stay that way.*'

Edryches i ar y ddesg: roedd hi'n wag. Roedd popeth yn daclus mewn **droriau**, hyd yn oed y beiros. Mi ges i broblemau mawr yn ceisio dod o hyd i bopeth. Dw i erioed

---

yn ieithyddol – *linguistically*   **drôr / droriau** – *drawer(s)*
fel pin mewn papur – *shipshape*

wedi gweld tŷ Gwen, ond dw i'n siŵr ei fod o'n daclus iawn iawn, a'i bod hi'n **polisio** efo Dettol.

Pan es i rownd y gornel i'r adran *reference*, mi ges i sioc. Roedd y byrddau crwn, smart wedi mynd, ac **yn eu lle nhw** roedd hen fyrddau mawr hirsgwar, hyll.

'Beth ydy hyn?' wnes i ofyn i Gwen.

'*Don't look at me,*' meddai hi. '*It's all your fault!*'

'Be?'

'*That* hen ddyn *who coughs all the time – after talking to you, he sent a letter to the* Swyddfa *about the tables, and then this lorry arrives with this lot!*'

'Ond … ond … maen nhw'n ofnadwy!'

'*I agree with you* **cant y cant**, *they're old ping pong tables …*'

'Sy'n rhy hen i bingio na phongio …' chwyrnodd Mr Edwards, oedd wedi bod yn gwrando. 'Mae gen i ofn **pwyso** fy **mhenelin** arnyn nhw, maen nhw mor fregus.'

'Bregus?' gofynnais i.

'*Delicate, not sturdy,*' eglurodd Mr Edwards.

'Dach chi'n gweld? Does dim pwynt siarad efo hi yn Gymraeg, Mr Edwards,' meddai Gwen. 'Gorfod ecspleinio beth ydy petha yn Saesneg o hyd … mae o'n cymryd drwy'r dydd.' (Ast! Hi sy'n fy ngwneud i'n nerfus, ac wedyn mae fy mrêns i'n troi'n bwdin). 'Ac *anyway*, arni hi mae'r bai am hyn.'

'Ond … ddim fy mai i ydy o,' meddwn i.

---

polisio – *to polish*	**cant y cant** – *a hundred per cent*
yn eu lle nhw – *instead of them, in their place*	**pwyso** – *to lean, to press*
	penelin(iau) – *elbow(s)*

'Bai pwy, 'ta?' gofynnodd Gwen.

Doedd gen i ddim ateb. Es i'n ôl at y ddesg. Weithiau, does dim pwynt deud dim.

Gorffennaf 19eg – dydd Gwener

Ffoniodd Andrew heno. 'Pacia!' gwaeddodd o. 'Dan ni'n mynd i Ynys Enlli fory!'

'Fory?'

'Ia, mae'r tywydd yn berffaith, ac mae 'na le ar y cwch.'

'Gwych! Beth bydd angen arna i?'

'Picnic, camera, eli haul, ym … alcohol ella?'

'Potel o win?'

'Ia, gwych. O … ac oes gen ti sbienddrych?'

'Pardwn?'

'O, Blod! Dwyt ti ddim yn gwybod beth ydy sbienddrych?'

'Nac ydw, Andrew. *Stop showing off.*'

'Rwyt ti'n fy nabod i'n rhy dda. Do'n i ddim yn gwybod beth oedd o chwaith.'

'Felly beth ydy o?'

'*Binoculars.*'

'Na.'

'Ia! *Honestly! Why would I lie*?'

'Na, deud bod gen i ddim sbienddrych ydw i, Andrew.'

'O. Ddrwg gen i.'

'Pam bod isio sbienddrych, beth bynnag?'

'Dw i ddim yn siŵr. Menna ddwedodd. Hei … ella bod 'na *nudist beach* yno …'

'Andrew!'

'Ond ella ddim. Maen nhw'n ddefnyddiol i weld adar, *I suppose*. Os wyt ti'n hoffi adar. Wyt ti'n hoffi adar?'

'Ydw, ond dw i ddim yn *twitcher.*'

'*God* na, na fi. *Really sad bunch of people.*'

'Ydyn. Pobl ddiflas dros ben.'

'Felly wyt ti'n dod fory?'

'Ydw. Faint o'r gloch a lle?'

'Hanner awr wedi saith – wrth y George.'

'Doniol iawn, Andrew. Faint o'r gloch – beth ydy *seriously*?'

'Y? O ddifri ...'

'Faint o'r gloch o ddifri?'

'Hanner awr wedi saith! Blod, beth rwyt i'n ...?'

'Y bore? Rwyt ti'n tynnu fy nghoes.'

'Nac ydw! Mae'r cwch yn mynd am naw, ac mae isio cerdded o'r maes parcio at y cwch.'

'O. Mae'n ddrwg gen i.'

'*We must stop apologising like this*, Blod ... mae siarad efo ti yn waith caled. Dw i'n *totally knackered*. Wela i di fory.'

Felly dw i wedi pacio bag bach efo fflasg o goffi, potelaid o win, potelaid o ddŵr, brechdanau, creision, ffrwythau, camera, eli haul (ffactor 25), sbectol haul, côt law (dw i'n *realist*) a *spray* i gadw **pryfed** draw. Mae'r bag yn pwyso **tunnell**. Dw i'n mynd i godi'n gynnar i gael cawod a golchi fy ngwallt yn y bore. Mae'r cloc larwm ar 6.30 yn barod. Gobeithio bydda i'n gallu cysgu – dw i wedi cynhyrfu'n ofnadwy!

---

pryf / pryfed – *fly (flies)*   **tunnell** – *ton*

Gorffennaf 21ain – dydd Sul

Ro'n i wedi blino gormod i sgwennu hwn nos Sadwrn. Roedd o'n ddiwrnod **anhygoel** – bendigedig. Ond wnaeth o ddim dechrau yn dda iawn. Ddim yn dda o gwbl a deud y gwir. Mi gysges i fel mochyn, felly wnes i ddim clywed y cloc larwm, felly pan wnes i ddeffro, roedd hi'n 7.20. Dim amser i frwsio fy nannedd heb sôn am olchi fy ngwallt. Mi wnes i wisgo a gafael yn y bag a rhedeg am y George. Dw i ddim wedi rhedeg ers blynyddoedd. Roedd fy nghoesau i fel jeli ar ôl 300 metr, ac ro'n i'n gwneud sŵn fel **cymysgydd sment** wrth gyrraedd y George. Roedd pawb yn eistedd yn *people carrier* Michelle, yn aros amdana i.

'Noson fawr neithiwr, Blodwen?' gofynnodd Menna.

Mi wnes i geisio ateb, ond do'n i ddim yn gallu siarad. Felly wnes i ysgwyd fy mhen.

'Wyt ti'n iawn?' gofynnodd Michelle. 'Rwyt ti wedi mynd yn lliw rhyfedd iawn.'

'*Yes, sort of purple with yellow patches,*' meddai Jean. 'Dwyt ti ddim yn ffit, wyt ti, Blodwen?'

Ro'n i isio ei tharo hi ond doedd dim **egni** gen i. Beth bynnag, roedd yr awyr yn las a'r haul yn gynnes, ac roedd Brenda'n ceisio gwneud i ni ganu 'Bing Bong Be'. Roedd hi wedi dysgu'r gân ar gwrs yn Nant Gwrtheyrn, ond dim ond y **gytgan**, felly mae'n ddiflas iawn ar ôl dau funud, a dw i ddim yn gweld sut mae canu bing a bong a be'n gwella ein Cymraeg ni.

---

anhygoel – incredible	**egni** – *energy*
cymysgydd sment – *cement mixer*	**cytgan** – *chorus*

'Beth am gân arall, 'ta?' gofynnodd Menna.

'Dw i'n hoffi'r gân yna am y *goats*,' meddai Jean.

'Geifr,' meddwn i, 'ond mae honno'n llawer rhy gyflym i ni.'

'Hy,' meddai Brenda. 'Beth ydy *chicken*, Menna?'

'Cyw iâr.'

'O ie, rwyt ti'n gyw iâr, Blodwen.'

'Weren't we talking about goats?' gofynnodd Roy.

'Yes, o'n, *stop speaking English,* Roy,' meddai Brenda.

'Dach chi'n sôn am "Oes gafr eto"?' gofynnodd Menna.

'Ia, dw i'n meddwl,' meddai Andrew, 'ond does dim cyw iâr yn y gân honno.'

'Dw i'n *confused*,' meddai Roy.

'Wedi drysu'n lân,' **cywirodd** Menna.

'Ti hefyd?' gofynnodd Roy.

Edrychodd pawb ar ei gilydd, wedi drysu'n lân.

Mi wnes i ddechrau canu 'Bing Bong Be' eto. Roedd hi'n fwy **syml**.

Pan gyrhaeddon ni'r maes parcio, roedd hi'n 8.45. Roedd Michelle wedi **mynd ar goll**, a dydy hi ddim yn hawdd gwneud tro tri phwynt ar ffordd gul mewn *people carrier*. Roedd Andrew wedi gyrru Michelle druan yn boncyrs yn deud 'Llaw chwith i lawr! *No!* Chwith! *Left hand! Left hand down!* O, gyrwyr merched…'

Felly ar ôl parcio, roedd Michelle yn goch, yn **chwyslyd**, a bron â chrio. Roedd Andrew yn goch, yn chwyslyd ac

cywiro – *to correct*	**mynd ar goll** – *to get lost*
syml – *simple*	**chwyslyd** – *sweaty*

wedi gwylltio, tra oedd Menna'n edrych ar ei wats **o hyd** ac yn gweiddi: 'Brysiwch! Brysiwch!'

Roedd Jean yn gofyn: 'Ydy hi'n deud bod fy ngwallt i isio ei brwsio? Neu dim ond gwallt Blodwen?'

Doedd Brenda ddim yn gallu dod o hyd i'w bag, ac roedd Roy'n eistedd ar y gwair yn rholio sigarét. Ro'n i isio mynd adre.

Mi redon ni i lawr y llwybr at y cwch. Roedd fy nghoesau jeli fel *blancmange* wedyn. Roedd y cwch mawr yn y dŵr yn aros amdanon ni, ac roedd dau ddyn wrth y dingi bach oren ar y traeth. Roedd Andrew wedi rhedeg o flaen pawb, ac wedi gofyn iddyn nhw aros amdanon ni. Dringodd pawb i mewn i'r dingi, cyn cofio bod Brenda heb gyrraedd. Yna, daeth hi rownd y gornel yn araf. Doedd hi ddim wedi deall bod angen gwisgo esgidiau cerdded. Roedd gynni hi sandalau uchel, drud, ac roedd ei thraed yn mynd **i bob man** ar y cerrig. Edrychodd hi'n wirion arnon ni yn y dingi.

'Dw i ddim isio ... *get these wet!*' protestiodd hi.

'Felly tynna nhw i ffwrdd ...' meddai Menna.

'O, ie ...'

Tynnodd hi ei hesgidiau a cherdded yn ofalus aton ni yn y dingi. Ond roedd y dingi wedi symud allan i'r môr ers i ni ddringo i mewn, ac roedd hi'n gorfod codi ei sgert yn uwch ac yn uwch. Roedd hi'n protestio'n ofnadwy. Roedd Andrew hefyd.

'Na, dim mwy, os gwelwch yn dda,' meddai fo'n dawel. 'Dw i ddim isio gweld top coesau Brenda. Dw i ddim isio gweld fy mrecwast eto.'

---

o hyd – *all the time*   **i bob man** – *all over the place*

'Andrew!' meddai pob merch yn y dingi.

Yn y diwedd, daeth un o ddynion y dingi at Brenda a rhoi *fireman's lift* iddi hi i mewn i'r dingi. Rhaid ei fod o'n ddyn cryf iawn. Roedd Brenda mewn gormod o sioc i ddeud dim. **Ymlaen** at y cwch mawr, ac i ffwrdd â ni ar draws y Swnt – enw'r môr rhwng Enlli a'r **tir mawr**. Roedd hi'n hyfryd. Awyr las, haul ar fy wyneb, gwynt yn fy ngwallt, a **thonnau** uchel. Do'n i ddim yn gallu clywed lleisiau Brenda a Jean. Nefoedd.

Mi wnaethon ni **lanio** ar yr ynys, a bron i mi **ddisgyn** ar fy mhen ôl yn y **gwymon**. Ro'n i'n gorfod cadw fy llygaid ar fy nhraed wedyn. Ond wedi cyrraedd y gwair, ro'n i 'n gallu edrych i fyny eto. Roedd hi'n olygfa fendigedig. Roedd pob man mor wyrdd, a'r tai mor **urddasol**.

'Beth ydy'r sŵn yna?' gofynnodd Michelle. 'Mae'n swnio fel plentyn yn crio. Menna! Mae 'na blentyn mewn trwbl.'

Chwarddodd Menna.

'Nage, Michelle, y **morloi** ydyn nhw,' a phwyntiodd hi at y bae. Roedd y lle yn llawn o bennau llwyd yn edrych arnon ni o'r dŵr, a'r tu ôl iddyn nhw ar y creigiau, roedd **ugeiniau** o forloi eraill yn gorwedd.

'*Oh, lovely!*' meddai Brenda. '*But what are they doing?*' '**Torheulo**,' meddai Andrew. 'Mae bywyd braf gynnyn nhw.'

ymlaen – *onward*	**gwymon** – *seaweed*
tir mawr – *mainland*	**urddasol** – *stately*
ton(nau) – *wave(s)*	**morlo(i)** – *seal(s)*
glanio – *to land*	**ugeiniau** – *scores, a large group*
disgyn – *to fall*	**torheulo** – *to sunbathe*

Mi gaethon ni air o groeso gan y wardeniaid, wedyn aethon ni am dro o amgylch yr ynys. Mae Menna'n nabod y lle yn dda iawn, achos bod hi'n aros yno am wythnos bron bob haf. Aeth hi â ni i ben y mynydd, at y **goleudy** ac i'r **ogofâu**. Aethon ni i edrych ar y tai, ond aethon ni ddim i mewn; mae pobl yn aros yno. Aethon ni i'r capel, ac mi ganodd Menna **emyn**. Mae llais da gynni hi. Dw i bron yn siŵr bod Andrew yn crio pan oedd hi'n canu. Mi fasai o wedi chwerthin taswn i wedi dechrau canu. Mae llais fel brân gen i.

Aethon ni i'r siop, ac mi brynes i lyfrau, crys-T, a morlo bach fflyffi gwyn. Mi ddudes i mod i wedi ei brynu o i fy **nith**, ond doedd hynny ddim yn wir. Mi brynes i o i mi fy hun. Pan ddois i allan, roedd Brenda yn dod allan o'r tŷ bach. Roedd hi'n **welw**.

'Mae o'n *disgusting*,' meddai hi. 'Paid â mynd i mewn.'

'Ond dw i isio mynd!' meddwn i.

'Croesa dy goesau! **Bwced** ydy o!' meddai hi. '*In this day and age!*'

'Elsan, Brenda, nid bwced. Ond beth wyt ti'n ddisgwyl!' meddwn i. 'Does dim **carthffosiaeth** yma!' (Dysgodd Menna y gair yna i ni yn y wers am Enlli.)

'So? Does dim rhaid iddyn nhw fod mor … mor … *what's filthy?*'

'Afiach,' meddai Andrew, oedd wedi bod yn gwrando.

---

goleudy – *lighthouse*	**gwelw** – *pale*
ogof(âu) – *cave(s)*	**bwced** – *bucket*
emyn(au) – *hymn(s)*	**carthffosiaeth** – *sewerage*
nith(oedd) – *niece(s)*	

'Dduda i wrthot ti be, Brenda,' meddai fo. 'Fasai'n well gen ti sgwatio y tu ôl i'r wal? Mae bwnsh o *dock leaves* yna…'

Cerddodd Brenda i ffwrdd a'i thrwyn yn yr awyr.

'O, Andrew!' meddai Menna, oedd wedi dod allan o'r siop.

'Be?' protestiodd Andrew. 'Roedd hi'n…'

'Dail tafol ydy *dock leaves*…'

Mae Menna'n OK weithiau. Mi gaethon ni bicnic ar un o'r traethau ac wedyn torheulo.

Wel, roedd rhai'n torheulo. Wnes i ddangos fy mreichiau. Mae'r chwain wedi gadael *craters*…beth ydy *craters*, tybed? – ceudyllau – ar waelod fy nghoesau.

Aeth Andrew, Roy a Menna i nofio, ond arhosodd Michelle, Jean, Brenda a fi ar y tywod. Mae Michelle yn meddwl bod gynni hi *stretch-marks* ar ôl cael y plant. Mae Jean yn meddwl bod hi'n rhy denau, mae Brenda'n meddwl bod hi'n rhy dew, a dw i'n gwybod mod i'n rhy dew. Mae Menna'n edrych yn ffantastig mewn bicini. Does gynni hi ddim bol. Mae gan Andrew fol (**bol cwrw**, mae'n siŵr) a choesau bach tenau, gwyn. Ond mae gan Roy gorff da iawn. Mae gynno fo becyn chwech (*six-pack*?) a choesau cyhyrog, brown.

'Pwy fasai'n meddwl…' meddai Michelle. 'Mmmm…' meddai Brenda a Jean…a fi.

Wnaethon ni **wahanu** wedyn. Es i am dro ar fy mhen fy hun. Roedd hi mor braf – dim sŵn o gwbl, dim traffig, dim **arwydd** o bobl yn unman. Mi weles i flodau hyfryd,

---

bol cwrw – *beer belly*   **arwydd** – *sign*

gwahanu – *to separate*

55

blodau **dieithr** iawn i mi. Ro'n i isio gwybod eu henwau nhw – yn Gymraeg. Dw i ddim yn dda iawn am wybod enwau blodau gwyllt yn Saesneg, a bod yn onest. Ro'n i'n eu gwybod nhw pan o'n i yn yr ysgol gynradd, ond dw i wedi anghofio bron popeth. Mae gen i **gywilydd**. Mi weles i adar rhyfedd hefyd, ond dw i'n gwybod llai am adar nag am flodau. Mi gerddes i ar hyd llwybr uwchben y môr glas. Am y tro cynta ers blynyddoedd, ro'n i'n teimlo'n hapus a **thawel fy meddwl**. Ro'n i wedi anghofio am fy mhroblemau bach pathetig. Roedd y gwynt yn gynnes ac ysgafn ar fy nghroen, ac ro'n i'n teimlo'n iach. Mi gerddes i ymlaen, a chododd aderyn yn sydyn, un du a gwyn, a hedfan i ffwrdd fel mellten.

'Blydi hel!' gwaeddodd llais rhywun o rywle. 'Beth yffach?'

Llais dyn – dyn blin. Yna cododd pen o'r gwair hir, yna ysgwyddau, yna'r corff i gyd. Dyn mawr, blin. Mi gerddodd o ata i. Roedd o'n mynd yn fwy wrth ddod yn agosach, a doedd o ddim yn gwenu – ddim o gwbl. Ro'n i'n **crynu**.

'*What the hell do you think you're doing*?' gwaeddodd o.

'*I … I'm sorry …*' meddwn i'n **ofnus**.

'*You're not supposed to be here – didn't you see the sign*?' gwaeddodd o'n uwch.

Roedd ei wyneb yn wyn o dan ei **liw haul**, a'i lygaid

---

dieithr – *strange, alien*	**crynu** – *to shake, to shiver*
cywilydd – *shame*	**ofnus** – *afraid*
tawel fy meddwl – *having peace of mind*	**lliw haul** – *suntan*

yn fflachio. Ro'n i isio rhedeg i ffwrdd, ond ro'n i wedi rhewi.

'*What sign*?' gofynnes i mewn llais bach.

'*That bloody sign over there!*' **rhuodd** o, a phwyntio at arwydd ar y ffens. Roedd o'n arwydd mawr, a'r geiriau yn glir: PEIDIWCH Â MYND DIM PELLACH NA HYN.

'*Oh dear…*' meddwn i mewn llais bach bach. '*I must have been…um…*'

'*Dreaming*? Ych chi'n dweud wrtho' i! Blydi Saeson! Meddwl eu bod nhw'n **berchen** popeth…'

'Mae'n ddrwg gen i,' meddwn i mewn llais mor fach, mi ges i drafferth ei glywed o fy hun.

Ond roedd gynno fo glustiau da. 'Cymraes ych chi?'

'Na…wel…ydw, chwarter…'

'Be?'

'Ym…dw i'n dysgu Cymraeg.'

'O. Dysgwr! Dyna'r cwbl dw i **moyn**!'

'Pardwn?'

'Blydi dysgwyr…gwaeth na Saeson.'

'Be?'

'*Forget it, woman. The damage is done.*'

'Pa *damage*? Beth dw i wedi…?'

'Y tro cynta erioed i mi weld *yellow-bellied sapsucker* yn y rhan yma o'r byd!' gwaeddodd o, gan ysgwyd ei gamera mawr drud a'i sbienddrych bach drud, yn wyllt.

'Ro'n i ar fin tynnu llun ffantastig ohono fe, llun fasai

---

rhuo – *to roar*　　　　**moyn** – *to want (de Cymru)*

perchen – *to own, to possess*

wedi bod ar **glawr** *Birder's World*. Chaf fi byth **gystal** *shot* o *yellow-bellied sapsucker!* Ych chi wedi **dinistrio** popeth, **fenyw!' Rhythodd** o arna i efo llygaid glas, oer fel rhew.

'Mae'n ddrwg gen i. Do'n i ddim yn gwybod,' meddwn i, yn ceisio peidio â chrio. Roedd o'n edrych yn gas iawn arna i, fel tasai isio fy nharo i efo'i gamera.

'Rhy hwyr nawr, on'd yw hi!'

'Dw i wedi deud mae'n ddrwg gen i ...'

'Hy!'

'Oes 'na rywbeth galla i neud?'

'Oes!' gwaeddodd o. 'Mynd! Mynd o fy **ngolwg** i!'

A dyna pryd ddechreues i grio. Ro'n i wedi bod mor hapus, a dyma'r dyn mawr blin yma'n gweiddi arna i. Dw i ddim yn hoffi pobl yn gweiddi, yn enwedig pan maen nhw'n gweiddi arna i. Mi welodd o fy mod i'n crio.

'O, na! Blydi menywod! Does dim isie i chi lefain, oes e?'

'Llefain? Crio ydw i,' meddwn i.

'Yr un peth yw e, fenyw!' gwaeddodd o.

'Peidiwch â gweiddi arna i!' gwaeddes i.

Ac mi ddechreues i grio'n uchel. Roedd fy nhrwyn yn rhedeg a doedd gen i ddim hances ac ro'n i'n teimlo'n **ffŵl**. Mi ddechreues i gerdded i ffwrdd, ond mi ddaeth o ar fy ôl i. 'Dewch, does dim isie i chi lefain – sori – crio,' meddai fo.

clawr – *cover*	**rhythu** – *to glare*
cystal – *as good*	**golwg** – *sight*
dinistrio – *to destroy*	**ffŵl** – *a fool*
menyw(od) – *woman (women)* (de Cymru)	

Do'n i ddim yn gallu ateb, ro'n i'n crio **cymaint**; do'n i ddim yn gallu gweld lle ro'n i'n mynd chwaith. Bron i mi **faglu** dros garreg. Wnaeth o afael o ynddo i.

'Hei. Cymerwch ofal nawr. Dyma chi,' meddai fo, a rhoi hances fawr wen i mi.

Mi wnes i afael ynddi hi a chwythu fy nhrwyn – yn uchel, ac am hir. Edrychodd o arna i a cheisio gwenu.

'Gwell nawr?'

Atebes i ddim. Pam ddylwn i wneud iddo fo deimlo'n well? Ro'n i'n gallu gweld fod o'n dechrau teimlo'n – *what's uncomfortable?* Anghyfforddus. Roedd ei wyneb o'n fwy normal, a'i lygaid o ddim yn edrych mor oer. Roedden nhw'n las gwahanol rŵan, mwy o awyr las nag *iceberg* glas (dw i ddim yn gwybod beth ydy *iceberg* yn Gymraeg). Ac ro'n i isio iddo fo deimlo'n anghyfforddus – gwneud i mi grio fel yna – gwneud i mi deimlo'n ffŵl – *how dare he?*

'Edrychwch, mae'n ddrwg 'da fi am weiddi arnoch chi fel yna,' meddai fo, 'ond ro'n i wedi cynhyrfu shwd gymaint...'

'Cynhyrfu shwd?'

'Shwd gymaint.'

Yna sylweddolodd o do'n i ddim yn deall. 'Mae'n ddrwg 'da fi. **Gog** ych chi.'

'Ia, a **hwntw** dach chi.'

'Hwntw mawr cas...' meddai fo efo gwên.

'Ia.'

---

cymaint – *so much*	**gog** – *North Walian (informal)*
baglu – *to trip*	**hwntw** – *South Walian (informal)*

Mi wnes i roi gwên fach. Mi estynnodd o ei law. Mi wnes i roi ei hances yn ôl iddo fo.

'Nage,' meddai fo, 'cadwch e. Ro'n i moyn ysgwyd eich llaw.'

'O. Iawn.'

Ac mi wnes i ysgwyd ei law o. Roedd gynno fo law fawr, gryf. A llygaid neis iawn.

'Siôn Prys,' meddai fo.

'Blodwen Jones,' meddwn i.

'Yma am y diwrnod?' gofynnodd o.

'Ia. Chi hefyd?'

'Na, dw i yma tan fis Tachwedd,' meddai fo. 'Dw i'n gweithio yn yr **wylfa** adar.'

O, na ... *twitcher* proffesiynol, meddyliais i. Diflas iawn.

'O, diddorol iawn,' meddwn i.

'Ydy, mae e ... yn enwedig pan dw i'n gweld adar prin fel ...'

Edrychodd o ar y llawr.

'Ia. Wel ...' meddwn i. 'Mae'n ddrwg iawn gen i am hynny. Do'n i ddim yn edrych lle ro'n i'n mynd, ro'n i mewn ... mewn ...'

'Breuddwyd?' gofynnodd o.

'Ia. Mae hi mor hyfryd yma.'

'Mmm. Dw i'n cytuno'n llwyr. Mae pobl yn **dwlu** ar y lle, neu dydyn nhw ddim yn hoffi'r lle o gwbl.'

'Faswn i'n gallu byw yma am byth,' meddwn i, gan edrych eto ar yr awyr, y môr, a'r mynydd.

'Mae'n hawdd dweud hynny ar ddiwrnod fel heddiw,'

---

gwylfa – *hide, lookout*   **dwlu** – *to dote (de Cymru)*

meddai Siôn, 'ond mae hi'n wahanol iawn pan fydd yna storm.'

'Dw i'n hoff iawn o storm … stormiau,' meddwn i.

'Stormydd,' cywirodd o.

'Stormydd. Diolch,' meddwn i. 'Na, yn bendant, mi allwn i fyw yma.'

'Heb Tescos?' gofynnodd o. 'Heb deledu na pheiriant golchi? Heb ffôn na mynd mas ar nos Sadwrn?' Lwcus mod i'n gwylio *Pobol y Cwm*. Ro'n i'n gwybod mai allan oedd mas.

'Dim problem,' meddwn i. 'Dw i byth yn gwylio'r teledu, a dw i byth … yn mynd allan ar nos Sadwrn …' Pam o'n i isio deud hynny? Bydd o'n meddwl mod i'n *social outcast*.

'O?' gofynnodd o â gwên. Damia! Roedd o'n chwerthin am fy mhen i!

'Wel, yn **anaml** iawn,' meddwn i. 'Mae fy mywyd i mor brysur, alla i ddim mynd allan bob nos.'

'Beth ydy'ch gwaith chi?' gofynnodd o.

'Llyfrgellydd.'

'O, diddorol iawn.'

Ond ro'n i'n gallu gweld o'i wyneb o – roedd o'n credu bod bywyd llyfrgellydd yn ddiflas.

'Ydy, mae o, *actually*!' meddwn i'n flin. 'Mae pawb yn credu bod llyfrgellwyr yn bobl ddiflas ond dydyn nhw ddim!'

'Dw i'n siŵr,' meddai fo. 'Mae pawb yn meddwl bod pobl sy'n gwylio adar yn ddiflas hefyd.' Oedd o'n gwenu'n

---

anaml – *infrequent*

od arna i? Tawelwch. Do'n i ddim yn gwybod beth i'w ddeud. Doedd o ddim chwaith. Yna, gofynnodd o:

'Pryd mae'ch cwch chi'n mynd yn ôl?'

'Hanner awr wedi dau,' meddwn i.

'Wel… gobeithio bod chi'n gallu rhedeg yn gyflym,' meddai fo.

'Pam?'

'Mae hi'n ugain munud wedi dau nawr.'

Mi edryches i ar fy wats. Roedd o'n iawn! O, na! Ro'n i ar yr ochr **anghywir** o'r ynys!

'Pa ffordd? Sut? O diar…o diar,' meddwn i mewn panig.

'Dewch,' meddai fo, a phwyntio at feic mynydd oedd yn pwyso yn erbyn wal.

Roedd pawb yn eistedd wrth y **lanfa**, a Menna'n edrych ar ei wats. Edrychodd pawb yn wirion arnon ni'n cyrraedd ar y beic. Siôn yn sefyll ar y pedalau a fi'n eistedd ar y sedd gul. Pan freciodd Siôn, mi wnes i saethu oddi ar y sedd a'i daro yn ei ben ôl efo fy wyneb, ac mi ddisgynnodd y ddau ohonon ni oddi ar y beic.

'Dramatig iawn,' meddai Andrew, a fy helpu ar fy nhraed.

'Trystio Blodwen,' meddai Brenda'n uchel. 'Pum munud ar ynys with *hardly anybody on it*, ac mae hi'n cael dyn.'

Ro'n i isio diolch i Siôn, ond allwn i ddim edrych arno fo ar ôl hynny. 'Rwyt ti wedi cael lliw haul, Blodwen,' meddai Jean yn **slei**.

---

anghywir – *wrong*   **slei** – *sly*

glanfa – *jetty*

Roedd beic Siôn yn iawn, ond roedd ei goes yn gwaedu ychydig. Ddudes i ddim byd. Wnes i roi nòd pathetig iddo fo, ac mi ges i nòd yn ôl. Ac yna daeth dyn y dingi at y lanfa. Es i i mewn efo'r gweddill, eistedd (yn ofalus – roedd sedd y beic wedi gadael ei farc), ac mi wnes i droi i edrych ar yr ynys, ond roedd Siôn wedi mynd.

'Diwrnod bendigedig!' meddai Michelle. Cytunodd pawb.

'*Apart from* y bwced...' meddai Brenda. Ond wnaeth neb **gymryd sylw** ohoni hi.

'Edrychwch ar y morloi,' meddai Menna. 'Maen nhw'n edrych mor hapus.'

'Pan fydda i wedi cicio'r bwced,' meddai Andrew, 'dw i isio dod yn ôl fel morlo.' Dw i jest isio mynd yn ôl i Enlli. Mae'n lle diddorol iawn iawn.

Gorffennaf 22ain – dydd Llun

Ces i ddiwrnod ofnadwy ar y fan heddiw. Roedd popeth yn iawn nes i Dei fynd i'r tŷ bach. Roedd y fan yn wag, felly eisteddais i yn y blaen yn darllen llyfr cwis *Trivial Pursuits*. Dw i'n dda iawn efo cwestiynau brown, ond yn anobeithiol efo'r rhai gwyrdd. Beth bynnag, ar ôl pum munud, sylweddolais i fod rhywun yn y fan. Codais i fy mhen i ddeud helô – a rhewais i. Roedd Alsatian mawr – enfawr – yn y fan, yn sniffian y llyfrau. Doedd neb efo fo. Dw i'n hoffi anifeiliaid, ond roedd hwn mor fawr.

---

cymryd sylw – *to take notice*

'Hei!' meddwn i'n nerfus. 'Dim cŵn yn y fan!' Ond doedd o ddim yn deall Cymraeg. Roedd o'n sniffian y *non-fiction* erbyn hyn. 'Hei!' gwaeddais i. '*Out!*' Cododd o ei ben, edrych arna i'n ffroenuchel, yna codi ei goes ôl... 'Na!' sgrechiais i. Ond chymerodd o ddim sylw. Pisodd o yn erbyn L–M, y llyfrau plant i gyd, a'r llyfrau garddio. Yna aeth o allan. Sefais i yno am ychydig, do'n i ddim yn gwybod beth i'w ddweud. Yna daeth Dei i mewn.

'Duw, beth ti'n ei wneud?' gofynnodd o. 'Dal pryfed?' Do'n i ddim yn gallu siarad. Dal pryfed? Yna sylweddolais i fod fy ngheg yn agored fel pysgodyn. Caeais i fy ngheg. Pwyntiais i at y llyfrau gwlyb.

'**Be goblyn?**' meddai Dei wrth weld ei lyfrau'n ... *what's drip?* – diferu.

'Ci,' meddwn i o'r diwedd, 'ci mawr ... wedi pi pi!'

Edrychodd Dei arna i'n wirion, yna ysgydwodd o ei ben ac estyn am hen **gadach** y tu ôl i'r cownter.

Dechreuodd o dynnu'r llyfrau allan a'u sychu, yna dechreuodd o chwerthin.

'Dei ...' meddwn i, 'dydy o ddim yn ddoniol.'

Ond roedd Dei'n chwerthin fel plentyn. Roedd o'n chwerthin cymaint, syrthiodd o i'r llawr. Ac wedyn doedd o ddim yn chwerthin.

'Dei?' meddwn i. 'Beth wyt ti'n ei wneud? Bydd dy ddillad di yn pi pi ci i gyd.' Dim ateb. Sylweddolais i fod rhywbeth yn od. Codais i o'r cownter a mynd ato fo.

'Dei?' Roedd ei wyneb yn lliw rhyfedd, a'i geg o ar agor fel ceg pysgodyn. 'Dei!!'

---

be goblyn? – *what on earth?*   **cadach(au)** – *cloth(s), rag(s)*
(an exclamation)

Dw i ddim yn cofio llawer wedyn ond dw i'n cofio gweiddi am help. Dw i'n cofio **lleisiau dieithr** a rhywun yn rhoi hances i mi achos fy mod i'n crio. Roedd Dei yn eistedd yn fy sedd i, yn dweud ei fod o ddim isio ffys, a bod dim angen ambiwlans arno fo.

'Paid â bod yn wirion!' meddwn i. 'Mae'n rhaid i ni...'

'Na!' meddai fo'n chwyrn. 'Dw i'n iawn. Mae hyn wedi digwydd o'r blaen.'

'Ond...'

'Na... plis, dim ambiwlans. Basen nhw'n mynd â fi i'r ysbyty. A dw i ddim isio i'r wraig gael galwad ffôn o'r ysbyty.'

'Ond os wyt ti'n sâl...'

'Mi wna i fynd i weld y doctor.' **Gwasgodd** fy llaw. 'Plis, Blodwen?'

'Ond elli di ddim gyrru'r fan...' Roedd o'n dal i **grynu fel deilen**.

'Na, ond medri di.'

'Be?'

'Mae hi fel car.'

'Be?'

'Wel, car mawr. Dydy hi ddim yn bell. Mi wna i ddeud wrthot ti beth i'w wneud. Mae hi'n hawdd.'

'Dei... mae hyn yn wirion.'

'Plis, Blodwen...'

---

lleisiau dieithr – *unfamiliar voices*

gwasgu – *to squeeze, to press*

crynu fel deilen – *to shake like a leaf*

Pam dw i ddim yn gallu dweud na? Rhywsut, ro'n i yn sedd y gyrrwr, yn gyrru ar hyd y ffordd, a Dei wrth fy ochr yn dweud:

'Dyna ti. Da iawn, dim problem.'

Dim problem? Roedd fy nghoesau'n crynu, fy nwylo'n chwysu ac ro'n i'n teimlo'n sâl. Roedd gen i ofn mynd dros 25 milltir yr awr, felly roedd **rhes** hir o geir y tu ôl i mi. Ro'n i'n gallu gweld y wynebau blin, coch yn y drych.

'Paid â chymryd sylw o neb,' meddai Dei. 'Rwyt ti'n gwneud yn dda. Dwyt ti ddim yn bell rŵan. Dim ond deg milltir arall.'

Deg milltir! Roedd hi'n teimlo fel cant. Bob tro ro'n i'n dod at gornel, ro'n i isio cau fy llygaid. Ond fasai hynny ddim wedi bod yn syniad da.

Wrth fynd drwy bentref bach, a throi cornel **wael**, roedd fan goch wedi parcio ar fy ochr i o'r ffordd – ac roedd car arall yn dod i fy nghyfarfod.

Doedd dim lle i mi. Roedd yn rhaid i mi daro'r brêcs yn galed, ac mi wnes i daro'r – beth ydy *pavement*? – palmant. Clywais i sŵn ofnadwy. 'Dw i wedi taro rhywbeth!' gwaeddais i.

'Naddo,' meddai Dei. 'Y *non-fiction* sydd wedi syrthio, dyna i gyd.'

Edrychais i yn ôl, a gwelais i'r llyfrau dros y llawr i gyd. O, na. Pam oedd hyn yn digwydd i mi? Ci yn pi pi dros y llyfrau, dyn wrth fy ochr oedd i fod yn yr ysbyty, a fi'n gyrru fan fawr HGV. Dw i'n cael digon o broblemau efo Ford Fiesta 1.3! Ro'n i'n gobeithio mai breuddwyd

---

rhes(i) – *row(s)*   **gwael** – *bad*

oedd hi. Ond na, roedd hi'n digwydd – a digwyddodd am hanner awr arall.

Pan gyrhaeddais i'r llyfrgell, roedd Dei isio i mi – beth ddwedodd o am reversio? – o ia – bagio at y wal. Be? Sut? Do'n i ddim yn gallu gweld y wal! Es i 'nôl ychydig, a stopio.

'Tyrd, mae gen ti o leia ddwy **lath** arall i fynd,' meddai Dei.

'Na!' meddwn i. 'Dim mwy! Dw i wedi cael digon!' Diffoddais i'r injan a throi i edrych arno fo. 'Paid byth â gofyn i mi wneud rhywbeth fel yna eto! Dylet ti fod mewn ambiwlans, *dammit*! A dan ni'n lwcus bod y ddau ohonon ni ddim mewn ambiwlans ar ôl y gornel olaf yna!'

'Diolch i ti, Blodwen,' meddai fo'n dawel.

'Hy,' meddwn i, 'a rŵan dw i'n mynd â ti adre, a sut wyt ti'n mynd i egluro hynny wrth dy wraig?'

'Car yn **gwrthod** cychwyn,' meddai fo efo gwên. Hy. Pam mae dynion yn gallu dweud **celwydd** mor hawdd?

Es i allan o'r fan a gweld ei bod hi o leiaf tair llath o'r wal. Bydd hi'n anodd i lorïau'r cyngor basio bore fory. Tyff.

Es i â Dei adref, ond es i ddim i mewn i'r tŷ. A dyna pryd sylweddolais i: dw i ddim yn gwybod beth ydy enw gwraig Dei. Dydy o byth yn dweud ei henw hi, dim ond 'y musus' neu 'y wraig'. Rhyfedd … dydy o byth yn dweud ei henw hi, nac yn dweud 'dw i'n dy garu di' wrthi hi, ond maen nhw'n hapus, a dydy o ddim isio iddi hi boeni amdano fo. Ond, mae o'n dweud celwydd wrthi hi.

---

llath – *yard (measurement)*   **celwydd(au)** – *lie(s)*
gwrthod – *to refuse*

Dw i ddim yn deall. Dyma pam dw i'n sengl?

Ar ôl mynd â Dei adre, cofiais i am y llyfrau oedd dros y llawr yn fan y llyfrgell … O, na, gwell i mi fynd i'w rhoi nhw 'nôl ar y silffoedd … ac yna cofiais i am yr Alsatian.

Ro'n i yno am ddwy awr arall yn glanhau. A rŵan dw i wedi blino – yn ofnadwy.

Dw i'n mynd am fath.

Gorffennaf 23ain – bore Mawrth

Deffrais i yn y bath am 2 o'r gloch y bore. Roedd y dŵr yn oer, ac ro'n i'n las. Dw i'n meddwl fy mod i'n mynd i gael *pneumonia*. Beth ydy hynny yn Gymraeg? – O, niwmonia. Es i i fy ngwely efo potel dŵr poeth. Ym mis Gorffennaf. Mae fy mywyd yn llanast llwyr. Pan edrychais i drwy'r ffenest pan aeth y larwm, roedd Blodeuwedd ynghanol fy hostas. Wel, beth oedd ar ôl o'r hostas. Beth dw i'n mynd i'w wneud efo hi?

Dw i'n mynd i weld yr asiant teithio heddiw. Dw i isio gwyliau hir yn rhywle pell, pell.

Dw i'n mynd i'r gwaith rŵan. Gobeithio bod Dei'n iawn.

Gorffennaf 23ain – nos Fawrth

Pan es i i mewn i'r llyfrgell, roedd Gwen yn rhoi'r ffôn i lawr. '*Dei's wife*,' meddai hi. '*He's not coming in today – he's ill.*'

'Na …'

'Yes he is, I just told you.'

'Ym … Faint sâl?'

'Pa mor sâl, *you mean. Honestly, if you can't speak it properly, why bother?*'

Brathais i fy nhafod. Anadlais i'n ddwfn. 'Pa mor sâl then?'

'*How do I know? Just too sick to come in, that's all. Nothing serious.*'

'Ond … ond beth am yr … y … llyfrgell deithiol? Bydd pobl yn … ym … (dw i'n methu cofio geiriau Cymraeg pan dw i'n siarad efo Gwen) *waiting.*'

'*Yes. That's your department.*'

'Be?' gwaeddais i, yn teimlo'n sâl, 'ond alla i ddim … ym … dreifio'r fan! *Please don't make me drive the van!*' Edrychodd hi arna i'n rhyfedd.

'*What do you think I am? Stupid? I wouldn't let you close to the thing!*' meddai hi, a rhoi ffeil yn fy llaw. '*Names and numbers of our mobile customers. Ring them and tell them what's happened.*'

'O.' (Diolch byth.) 'Be? Pob un?'

'*Of course. Chop chop!*'

Bues i ar y ffôn drwy'r bore. Ches i ddim amser i feddwl am Dei. Oedd o'n iawn? Oedd o wedi mynd i weld y doctor? Ro'n i isio ffonio, ond roedd gen i ofn.

Es i i mewn at yr asiant teithio amser cinio. Ond roedd popeth mor ddrud, a dw i ddim isio mynd i Torremolinos – nac Ibiza. Dw i'n rhy hen i Ibiza ac mae gen i alergedd

---

brathu fy nhafod – *to bite my tongue*

i *foam*. Basai **Gwlad yr Iâ** yn neis, neu Alaska. Mae'n rhaid i mi gael mwy o bres. Gallwn i werthu fy nghar a phrynu beic. Basai beic yn gwneud i mi golli pwysau. Ond baswn i'n **gwlychu** yn y glaw. Gallwn i werthu'r teledu. Ond dw i angen gwylio S4C i wella fy Nghymraeg. Wel... mae'n **dibynnu** pa raglen dw i'n ei gwylio. Gallwn i werthu fy hen ddillad mewn – beth ydy *car boot sale*? – sêl cist car – dw i'n hoffi hynny. Sêl cist car... mae o fel barddoniaeth. Ble ro'n i? O ie. Yn y coch... ie, fy hen ddillad. Ond dw i ddim yn meddwl y baswn i'n cael llawer o bres am fy hen ddillad i. A beth bynnag, dw i'n dal i wisgo popeth sydd gen i. Wel... bron popeth. Dw i ddim wedi gwisgo'r siwmper binc **llachar** â blodau glas ers 1986. A dw i ddim wedi gwisgo'r trowsus oren â chylchoedd mawr gwyrdd ers... dw i ddim yn cofio. Hm.

Blodeuwedd! Rhaid i mi werthu Blodeuwedd. Chaf i ddim llawer o bres amdani hi, ond ddim dyna'r pwynt. Dw i'n mynd i roi hysbyseb yn y papur – fory. Rhywbeth fel: AR WERTH: GAFR. PRIS I'W DRAFOD. A DILLAD **AIL-LAW** MEWN (beth ydy *good condition*?) – CYFLWR DA. Cawn ni weld...

Gwlad yr Iâ – *Iceland*	**llachar** – *bright*
gwlychu – *to get wet*	**ail-law** – *second hand*
dibynnu – *to depend*	

Gorffennaf 24ain – dydd Mercher

Mae Dei dal gartref yn sâl, felly bues i ar y ffôn drwy'r bore eto. Dw i wedi anfon cerdyn ato fo. Dw i wedi anfon yr hysbyseb i'r papur hefyd.

Gwers Gymraeg dda iawn heno. Buon ni'n dysgu **caneuon gwerin** – dim ond achos bod Menna isio dangos i ni pa mor dda mae'n gallu canu. Ond roedd hi'n dda, ac roedd y wers yn hwyl. Ond dechreuodd hi ddysgu cân o'r enw 'Moliannwn' i ni. Mae'n mynd fel hyn (a dw i wedi ceisio ei chyfieithu):

Nawr lanciau rhoddwn glod (*young men let us celebrate*)
Y mae'r gwanwyn wedi dod (*spring has sprung*)
Y gaeaf a'r oerni aeth heibio (*the cold winter has passed*)
Daw'r coed i wisgo eu dail (*the trees will wear their leaves*)
A mwyniant mwyn yr haul (*something about the sun – can't remember*)
A'r ŵyn ar y dolydd i brancio (*and lambs to prance in the fields*)

Cytgan / *Refrain*
Moliannwn oll yn llon (*let's rejoice*)
Mae amser gwell i ddyfod, Haleliwia (*better times ahead – hallelujah*)
Ac ar ôl y tywydd drwg (*and when the bad weather goes*)
Fe wnawn arian fel y mwg (*we shall make money like smoke*)

---

cân werin / caneuon gwerin –
folk song(s)

Mae arwyddion dymunol o'n blaenau (*there are pleasant signs ahead*)

Ffwdl-la-la, ffwdl-la-la, ffwdl-la-la-la-la-la,
Ffwdl-la-la, ffwdl-la-la, ffwdl-la-la-la-la-la.

Wedyn mae dau bennill arall am robin goch a **llyffantod**, ond chyrhaeddon ni ddim pellach. Mae'r **dôn** yn anodd iawn, a'r ffwdl-la-las fel *tongue twisters*.

Roedd o'n *chaos* – na – llanast llwyr. Felly penderfynodd Menna weithio ar rywbeth **haws**: 'Hen Ferchetan' (*Old spinster*).

'Ha! Cân i Brenda a Blodwen!' meddai Jean. Mae hi mor ddoniol. Dyma beth dw i'n ei gofio o'r gân:

Hen ferchetan wedi colli'i chariad (*an old spinster has lost her love*)
Ffaldi ralaldi raldi ro (*The refrain: I think that's how you spell that, and I may have missed a couple of ffals or rals*)
Cael un arall dyna oedd ei bwriad (*she tried to get another one*)
(*ffaldiral etc between every line*)
Ond nid oedd un o lanciau'r pentre (*but not one of the local lads*)
Am briodi Lisa fach yr Hendre. (*wanted to marry her*)

Hen ferchetan sydd yn dal i drio (*the old spinster is still trying*)

---

llyffant(od) – *frog(s)*   **haws** – *easier*
tôn – *tune, melody*

Gwisgo sane sidan ac ymbincio (*wearing silk stockings and make-up*)

Ond er bod brân i frân yn rhywle (*but although there's a crow for a crow somewhere*)

Nid oedd neb i Lisa fach yr Hendre. (*there's nobody for little Lisa of the Hendre*)

Hen ferchetan bron â thorri'i chalon (*old spinster almost broken hearted*)

Mynd i'r llan mae pawb o'r hen gariadon (*all her ex-es are getting married*)

Bydd tatws newydd ar bren fale (*potatoes will grow on apple trees*)

Cyn briodith Lisa fach yr Hendre. (*before Lisa gets married*)

Hen ferchetan aeth i ffair y Bala (*the old spinster went to Bala fair*)

Gweld Siôn Prys (!!! dechreuais i wenu) yn fachgen digon smala (*fancied the pants off Siôn Prys ...*)

Gair a ddywedodd wrth fynd adre (*something he said on the way home*)

Gododd galon Lisa fach yr Hendre. (*made little Lisa feel much better*)

Ar ôl canu a chanu, buon ni'n trafod beth roedd Siôn Prys wedi'i ddweud wrth Lisa. 'Dos i nôl dy gôt, cariad, rwyt ti wedi **bachu**,' meddai Andrew.

---

bachu – *to pull (lit. to hook)*

73

O ie, dwedodd Menna ei bod hi ac Andrew a dau ffrind iddyn nhw wedi bwcio tŷ am wythnos ar Ynys Enlli ganol Awst: tŷ â lle i chwech o bobl, a bod croeso i ddau o'r dosbarth ddod hefyd i **rannu**'r gost. Dyna pryd dw i wedi cymryd pythefnos o wyliau! A dydy o ddim yn rhy ddrud! Gwych! Codais i fy llaw'n syth.

Wythnos gyfan ar Ynys Enlli? Basai'n **nefoedd**, basai'n fendigedig. Basai Siôn Prys yno. Dw i wedi bod yn meddwl llawer am ei lygaid glas, hyfryd.

Ond roedd pawb isio mynd. Pawb ond Michelle, achos bod gynni hi blant bach. 'Beth am dy ŵr di, Jean?' gofynnais i mewn panig. 'Dwyt ti ddim yn gallu ei adael am wythnos ar ei ben ei hun?'

'Fasai fo ddim yn sylwi,' meddai hi.

'Bydd rhaid i ni dynnu enwau o het,' meddai Menna. O, na... beth tasai Jean neu Brenda yn cael mynd, a ddim fi? Ro'n i'n teimlo'n sâl. Ond roedd pawb yn meddwl y dylen ni dynnu enwau o het a do'n i ddim yn gallu meddwl am syniad gwell.

Gwyliais i Menna'n **plygu**'r darnau o bapur a'u rhoi i mewn i fag plastig. (Doedd neb yn gwisgo het.) Edrychais i ar bawb arall. Roedd Brenda'n llyfu ei **gwefusau**. Roedd Roy'n cnoi ei feiro. Roedd Jean yn giglan fel plentyn.

Tynnodd Menna y darn cyntaf allan o'r bag. Agorodd hi o'n ofalus ac yn araf, a darllen yn uchel:

'Roy.'

Gwenodd Roy'n dawel a rhoi ei feiro yn ei boced. Ia, Roy a fi, basai hynny'n braf.

rhannu – *to share*	**plygu** – *to fold*
nefoedd – *heaven*	**gwefus(au)** – *lip(s)*

Dw i'n hoffi Roy mwy na Brenda a Jean.

'A'r llall sy'n cael dod efo ni i Enlli ydy...' meddai Menna, yn mwynhau ei hun wrth dynnu'r ail ddarn o bapur '... Brenda!'

Na! Dydy hyn ddim yn bosib! Dydy hyn ddim yn deg!

'Oh, you lucky buwch,' meddai Jean.

'Llongyfarchiadau,' meddai Menna.

'Da iawn,' meddai Andrew, gan edrych arna i. Roedd o isio i fi ddod, dw i'n gwybod. Dydy o ddim yn hoffi Brenda. Dw i'n meddwl mai syniad Menna oedd gofyn i bawb o'r dosbarth. Roedd hi'n edrych yn hapus. Roedd Brenda'n edrych yn hapusach.

'Ond Brenda,' meddwn i, 'dwyt ti ddim yn gallu defnyddio bwced am wythnos!'

'Gallaf. I just won't look down. Ac Elsan ydy o, Blodwen, nid bwced.'

Ast.

Aeth y lleill i'r George am beint ar ôl y wers. Es i adref.

Gorffennaf 25ain – dydd Gwener

Dydy bywyd ddim yn deg. A dw i wedi bwyta popeth oedd yn yr oergell. Dw i'n teimlo'n sâl rŵan. Dw i'n gallu gweld Blodeuwedd drwy'r ffenest. Mae hi'n bwyta drwy'r amser hefyd. Tybed ydy hi'n depressed fel fi achos bod gynni hi ddim bili gafr? Dyna beth ydy billy goat? O ... na, bwch gafr. Whatever. Roedd yr hysbyseb yn y papur, ond does neb wedi ffonio. Dw i'n mynd i'r gwely.

Gorffennaf 27ain – dydd Sul

Penwythnos diflas iawn. Wnes i ddim byd, dim ond gwylio'r teledu a bwyta. Neb wedi ffonio – dim ond Mam. Mae fy nghyfnither yn priodi. Dim ond 23 ydy hi. Siaradodd Mam am y ffrog, y tŷ, y gŵr a'r *reception* am 38 munud.

Gorffennaf 28ain – dydd Llun

Daeth Dei i mewn heddiw. Roedd o'n edrych braidd yn **wan** a gwelw. Mae o'n gorfod ymddeol.

'Dw i ddim isio ymddeol,' meddai fo, 'ond does gen i ddim dewis – mae'r doctor yn mynnu – a'r wraig, wrth gwrs.'

'Wrth gwrs,' meddwn i.

'Dw i'n mynd i golli'r fan,' meddai fo'n drist, 'a'r cwsmeriaid ... dan ni'n ffrindiau, rwyt ti'n gwybod?' Nodiais i. 'A dw i'n mynd i dy golli di hefyd, Blodwen.'

O, Dei ... roedd gen i lwmp yn fy ngwddw. 'Diolch, Dei, dw i'n mynd i dy golli di hefyd.'

'Dw i byth wedi diolch yn iawn i ti am yrru'r fan yn ôl ...'

'Ia ... wel.'

'Gwnest ti'n dda iawn.'

'Ha ha ...'

'Torrais i un o'r *brake lights* y tro cynta i mi ei gyrru hi.'

'Do?'

---

gwan – *weak*

'Do – a dw i wedi sgratsio ei hochr hi filoedd o weithiau. Ond dyna ni … byddan nhw'n rhoi hysbyseb am fy swydd i yn y papur yr wythnos yma. Efallai y bydd boi bach ifanc yn ei chael hi …'

'O, Dei!'

'Na, mae'n bosib. Rhywun fydd wrth ei fodd yn rhannu ei bicnic efo ti …'

'Fydd neb â brechdanau mor flasus â dy rai di, Dei!'

'Na, ond does gan neb wraig mor berffaith â fy ngwraig i … mae hi wedi bod mor dda ynglŷn â hyn, rwyt ti'n gwybod.'

'Dei?'

'Ia?'

'Beth ydy enw dy wraig? Wnest ti erioed ddweud.'

'Naddo? Wel … Erin.'

'Enw neis.'

'Ydy. Ond dydy hi ddim yn ei hoffi, felly dw i ddim yn ei ddefnyddio yn aml.'

'Pam dydy hi ddim yn ei hoffi?'

'Achos pan oedd hi'n fach, roedd pawb yn ei galw hi'n Erin Cybyrd.'

'Mae'n ddrwg gen i?'

'*Airing cupboard*, Blodwen!'

Dechreuais i chwerthin, ond roedd Gwen yn edrych yn flin arnon ni, felly ceisiais i beidio â chwerthin. Methais i. Cododd Gwen ar ei thraed, a wyneb fel **carreg**.

'Tyrd, Blodwen, dw i isio dangos rhywbeth i ti,' meddai Dei.

---

carreg – *stone*

Dilynais i o allan i'r maes parcio. Aeth o at y fan. 'Dw i wedi gweld y fan o'r blaen, Dei …'

'Rwyt ti wedi ei gyrru hi hefyd.' Roedd o'n gwenu'n rhyfedd arna i. 'Pam wyt ti'n edrych arna i fel yna?' gofynnais i iddo fo.

'Wel,' meddai fo, 'pam na wnei di gynnig am fy swydd i?'

'Fi!'

'Ia. Tyrd.' Agorodd o'r drws.

'Dwyt ti ddim isio i mi ei gyrru hi eto?'

'Ydw. Dim ond o gwmpas y maes parcio – tyrd! Does gen i ddim drwy'r dydd!'

A rhywsut, ro'n i y tu ôl i'r **llyw** eto, yn gyrru'r fan rownd a rownd y maes parcio. Dangosodd Dei i mi sut i fagio o fewn dwy **fodfedd** i'r wal, sut i fagio rhwng dwy wal, sut i newid y gêrs yn **llyfn** – popeth! Ac ro'n i'n gallu ei wneud o!

'Wyt ti'n gweld?' meddai fo. 'Rwyt ti'n gallu gyrru hon yn dda, rwyt ti'n ofalus, yn **amyneddgar**, ac mae gen ti lygad dda.'

'Ond fasen nhw ddim yn rhoi'r swydd i ferch,' meddwn i.

'Pam lai? **Hawliau cyfartal**, cofia. Galla i roi mwy o wersi i ti, i ti gael mwy o brofiad gyrru; rwyt ti'n llyfrgellydd sy'n gallu helpu pobl efo'r llyfrau, rwyt ti'n gwybod y drefn yn barod – rwyt ti'n berffaith ar gyfer y swydd!'

---

llyw – *steering wheel*	**amyneddgar** – *patient*
modfedd(i) – *inch(es)*	**hawliau cyfartal** – *equal rights*
llyfn – *smooth*	

'Wyt ti'n meddwl?'

'Dw i'n gwybod, Blodwen! Ac os wyt ti ar y fan, does dim rhaid i ti weld Gwen bob dydd.'

Pwynt da iawn. Gwenais i.

'Meddylia i am y peth, iawn?' meddwn i. Rhoiodd o winc i mi, ac aeth o adref at Erin. Dechreuais i chwerthin eto.

Gorffennaf 30ain – dydd Mercher

Do'n i ddim isio mynd i'r wers Gymraeg heno, ond hon ydy'r wers olaf tan fis Medi, a basai aros gartref i – beth ydy *sulk*? O – diddorol – 'pwdu', neu 'llyncu mul'! *To swallow a donkey!* Dw i'n hoffi hynny. Basai aros gartref i lyncu mul yn blentynnaidd iawn. (Ac yn boenus.) Felly es i i'r wers. Roedd Brenda'n siarad am Ynys Enlli bob munud.

'W! Efallai gwela i'r dyn neis yna *with the bike* ...!' meddai hi'n slei. Ro'n i isio rhoi ei phen yn y bin sbwriel.

'Paid â galw Blodwen yn *bike*, mae hi'n ferch neis,' meddai Andrew. Felly rhoiais i ei ben o yn y bin sbwriel – wel, bron.

Cawson ni wers eithaf diddorol yn y diwedd, yn trafod yr **amgylchedd**. Mae Roy'n credu y dylai pawb fod yn **llysieuwyr** ac y dylai pawb ddefnyddio beic yn lle car (hawdd iddo fo ddweud hynny – Mr Ffit). Mae Michelle yn rhoi popeth mewn bin compost, ond rŵan mae gynni

---

amgylchedd - *environment*   **llysieuwyr** - *vegetarians*

hi broblem llygod. Ym **marn** Jean mae pawb yn gwneud llawer gormod o ffys am yr amgylchedd. Mae Brenda yn dweud bod ei lupins yn bwysicach na bywyd gwyllt, felly mae hi'n defnyddio pelets glas i ladd malwod (a bod yn onest, mae'n bosib y baswn i hefyd, taswn i'n gallu tyfu lupins). Yn ôl Andrew, llysieuwyr ydy'r *religious fanatics* newydd, yn ceisio cael pawb i feddwl fel nhw. Mae o'n meddwl bod angen cig arnon ni a bod tyfu llysiau'n **greulon**.

'Tyfu llysiau'n greulon!' meddai Roy. 'Sut?'

'Mae'n bosib bod gynnyn nhw deimladau hefyd,' meddai Andrew, 'a'u bod nhw'n sgrechian pan wyt ti'n eu rhoi nhw mewn dŵr **berwedig** – fel *lobsters*.'

'Cimychiaid,' meddai Menna.

'*Yeah*, cimychiaid,' meddai Andrew. 'Ac i dyfu llysiau, rhaid i ti ladd malwod, Sianis blewog...'

'*Pardon*?' gofynnodd Brenda.

'*Caterpillars*,' meddai Andrew. 'Enw hyfryd, yntydy? Siani flewog, *hairy Jane!*'

Dechreuon nhw **ffraeo** wedyn. Roedd hi'n ddiddorol iawn. Pan oedd y ddau wedi gwylltio, roedd hi'n anodd iawn iddyn nhw siarad Cymraeg. Roedd popeth yn dod allan yn Saesneg. Wedyn roedd Menna'n gwylltio efo nhw am siarad Saesneg.

Dan ni'n gorfod sgwennu traethawd ('Byr, Blodwen...') am yr amgylchedd erbyn mis Medi. O, diddorol...

barn – *opinion*	**berwedig** – *boiling*
creulon – *cruel*	**ffraeo** – *to argue*

Aethon ni i gyd i'r dafarn wedyn, ond roedd Menna, Andrew, Roy a Brenda'n siarad am Ynys Enlli drwy'r amser, ac roedd Hywel yno efo'r flonden, felly ar ôl hanner awr dwedais i fy mod i'n mynd adref.

'Yn barod?' meddai Andrew.

'Ia,' meddwn i, 'mae gen i ful yn y **popty**.' Ac i ffwrdd â fi cyn egluro.

Awst 2il – dydd Gwener

Mae swydd Dei yn y papur. Mae'r dyddiad cau ddydd Gwener nesaf. Dw i ddim yn siŵr beth i'w wneud. Ond does gen i ddim byd i'w golli, nac oes? Oes, fy **malchder**. Dw i ddim isio gwneud ffŵl ohono i fy hun.

Dw i'n gwybod fy mod i'n gwneud ffŵl ohono i fy hun yn aml iawn, ond damwain ydy hynny bob tro.

Mae gwybod fy mod i'n mynd i wneud ffŵl ohono i fy hun yn beth gwahanol. Help. Beth mae fy sêr yn ei ddweud? Mae'r papur o dan HRH ... mae hi'n gwrthod symud. Aw! Ast! Dyma ni: '*Capricorn: Life is a bowl of cherries. Make sure you pick the right ones.*' Be? Wel diolch yn fawr, roedd hynny'n help mawr. Pam dw i'n darllen fy sêr? Maen nhw'n **sothach**.

Mae rhywun newydd ffonio isio gweld Blodeuwedd! Dynes neis iawn: Mrs Gladys Price o Aberystwyth. Mae hi'n mynd i ddod i'w gweld hi ddydd Sul. O'r diwedd!

---

popty – *oven*   **sothach** – *rubbish*
balchder – *pride*

Awst 4ydd – dydd Sul

Ffoniodd Mrs Price. Dydy hi ddim yn gallu dod. Mae hi'n sâl. Mae hi'n mynd i geisio dod pan fydd hi'n well. O, wel.

Mae'r Eisteddfod Genedlaethol yr wythnos yma.

Ro'n i wedi anghofio. Ffoniodd Andrew ddoe.

'Mae Menna a fi'n mynd i'r Steddfod ddydd Llun; dan ni'n mynd i aros noson yn y maes **pebyll**. Wyt ti isio dod efo ni?'

'Be? Yn yr un babell?'

'Mae'n babell fawr...'

'Dw i ddim yn meddwl, Andrew.'

'O. Iawn. Wel... hwyl 'ta, Blodwen.'

'Ia, mwynhewch.'

Dw i ddim isio bod yn – beth ydy *gooseberry*? – Eirinen Mair, neu gwsberan... Dw i ddim isio bod yn eirinen Mair, diolch yn fawr. Na gwsberan. Ond hoffwn i fynd i'r Eisteddfod. Dw i erioed wedi bod yno. Ond dw i ddim isio mynd ar fy mhen fy hun. Ond dw i ddim isio aros mewn pabell efo Menna ac Andrew chwaith.

Awst 5ed – dydd Llun

Daeth Dei i'r llyfrgell eto amser cinio. Ro'n i'n bwyta fy rôl diwna.

'Wel?' meddai fo. 'Wyt ti wedi ceisio am y swydd?'

---

pabell / pebyll – *tent(s)*

'Dw i wedi cael **ffurflen**, ond heb ei **llenwi**.'

'Ond rwyt ti'n mynd i wneud?'

'Ym...'

'Blodwen! Rwyt ti'n cwyno bod dy fywyd yn ddiflas, a dyma gyfle i ti wneud rhywbeth gwahanol! Beth sy'n bod? Wyt ti'n mwynhau cwyno am bopeth?'

'Nac ydw...'

'Wyt ti'n un o'r bobl 'ma sydd isio diodde er mwyn gallu cwyno wrth bawb pa mor **annheg** ydy bywyd? Rwyt ti'n **haeddu** cic yn dy ben ôl!'

Edrychodd o arna i'n flin. Edrychais i arno fo mewn sioc.

'Tyrd!' meddai fo. 'Un trip bach arall yn y fan, ac wedyn cei di benderfynu.'

'Ond...'

'Rŵan!'

A buon ni rownd a rownd y maes parcio eto. Ond hefyd, aethon ni ar hyd y ffordd fawr am ychydig, i mi gael rhoi fy nhroed i lawr. A do, wnes i fwynhau. Mae o mor wahanol i pan oedd Dei'n sâl. Dw i'n gallu ymlacio rŵan. Pan fagiais i'r fan – dwy fodfedd o'r wal – roedd gwên ar wyneb Dei. Trodd o ata i:

'Blodwen, os nad wyt ti'n rhoi'r **cais** yna i mewn, dw i'n mynd i ddweud wrth Gwen am y chwain...'

Felly heno, dw i wedi sgwennu fy nghais. Mae'n swnio'n eithaf da hefyd. **Sgwn i** sut hwyl mae Menna ac

ffurflen(ni) – *form(s)*	**haeddu** – *to deserve*
llenwi – *to fill*	**cais** – *application*
annheg – *unfair*	**sgwn i** – *I wonder*

Andrew yn ei gael yn y Steddfod? Sgwn i a ydy Brenda wedi torri ei choes, i mi gael mynd i Enlli?

Awst 6ed – dydd Mawrth

Ffoniodd Mrs Price eto. Mae hi'n sâl o hyd, ond bydd rhywun yn dod i weld Blodeuwedd nos Iau. Bydd rhaid i mi ei glanhau hi cyn hynny. Mae hi wedi bod yn rhwbio yn erbyn rhywbeth, a dydy hi ddim yn wyn iawn rŵan. Mae hi'n fwy oren / melyn.

Gweithiais i'n hwyr heno. Ond dw i'n cael dydd Gwener yn **rhydd**. Diwrnod arall i'w lenwi...

Postiais i'r cais y bore 'ma. Ond fydda i ddim yn cael **cyfweliad**, dw i'n gwybod.

Awst 8fed – dydd Iau

Dyna beth oedd sioc. Dw i'n dal i chwerthin. Heno, pan o'n i'n bwyta fy swper, clywais i gnoc ar y drws. A phan agorais i'r drws, wnes i bron â thagu ar fy swper. Siôn Prys, y dyn adar â llygaid glas! Wel, y dyn â llygaid glas sy'n hoffi adar, nid y dyn sy'n hoffi adar â llygaid glas. Edrychais i arno fo, ac edrychodd o arna i. Doedd o na fi'n gallu meddwl beth i'w ddweud am ychydig. Yna,

'O, helô,' meddwn i, yn ceisio bod yn *cool*.

'Helô,' meddai fo.

Wedyn do'n i ddim yn gallu meddwl beth i'w ddweud.

---

rhydd – *free*   **cyfweliad** – *interview*

'Beth dach chi'n ei wneud yma?' gofynnais i iddo fo, yn y diwedd.

'*Ditto!*' meddai fo.

'Dw i'n byw yma!' meddwn i. Roedd ei geg fel pysgodyn.

'Ym …' meddai fo'n araf, 'dw i wedi dod i weld … ym …'

'*Yellow-bellied sapsucker?*' gofynnais i. 'Dw i ddim wedi gweld un **yn ddiweddar**.'

'Ha ha. Nac ydw, dw i wedi dod i weld gafr,' meddai fo. 'Chi?'

'Ie. Mae fy mam wedi siarad â chi ar y ffôn.'

'O! Ond … o, dw i'n gweld … Price … Prys yn Gymraeg.'

'Ie, dyna chi.'

'Ond dylech chi fod ar Enlli.'

'Dw i wedi cymryd pythefnos o wyliau ac roedd rhaid i mi fynd i Fangor heddiw,' meddai fo.

'O! Neis …' meddwn i, yn ceisio peidio â gwenu. *Yah boo sucks*, Brenda. 'Wel … gwell i chi gyfarfod Blodeuwedd.'

'Pwy?'

'Fy ngafr.'

'O, wrth gwrs.'

Dilynodd o fi i'r ardd. Roedd Blodeuwedd yno'n cnoi coeden. Cofiais i fy mod i wedi anghofio ei glanhau hi. O diar. Roedd ei bol hi'n felyn i gyd.

'Edrychwch, *yellow-bellied sapsucker* arall,' meddwn.

Chwarddodd Siôn. Roedd gynno fo chwerthiniad bendigedig. Ro'n i'n gallu gweld ei ddannedd – dim *fillings*.

---

yn ddiweddar – *recently*

Daeth Blodeuwedd aton ni'n syth, a dechrau cnoi trowsus Siôn. Ond chwarddodd o eto a'i chrafu y tu ôl i'w chlustiau. Stopiodd hi gnoi'n syth a chodi ei phen i edrych arno fo â'i llygaid tlws. *Bingo*. Roedd hi'n amlwg ei bod hi mewn cariad.

'Mae llygaid hardd gyda hi,' meddai fo.

'Oes,' meddwn i.

'Maen nhw'n dweud bod anifeiliaid yn mynd yn debyg i'w **perchnogion** ...' meddai fo wedyn.

Be? Edrychais i arno fo'n wirion. Oedd o'n ceisio dweud fy mod i'n edrych fel gafr? Neu oedd o'n dweud bod gen i lygaid tlws?

'Diolch ...' meddwn i, a gwenu beth bynnag, rhag ofn. Gwenodd o yn ôl.

'Alla i ddim mynd â hi heddiw,' meddai fo, 'ond dan ni ei moyn hi – yn bendant.'

'Dach chi'n siŵr?'

'Perffaith siŵr.' Ac edrychodd o arna i mewn ffordd wnaeth i fy mhengliniau droi'n **sbwng**.

'Wel ...' meddwn i, gan geisio cadw fy llais yn normal, 'hoffech chi baned neu rywbeth?'

'Os gwelwch chi'n dda. Ond Blodwen?'

'Ia?'

'Llai o'r chi yma, iawn?'

'Iawn. Tyrd i'r tŷ.'

Dim ond llefrith UHT sgim oedd gen i, ond yfodd o dair paned, a rhannu fy swper: caws ar dost. Buon ni'n siarad a siarad a siarad. Mae o'n hoffi darllen – fel fi;

---

perchnogion – *owners*   **sbwng** – *sponge*

mae o'n hoffi ffilmiau – fel fi; ac mae o'n hoffi teithio hefyd. Mae o wedi bod dros y byd yn gwylio adar.

'Wyt ti'n hoffi barddoniaeth?' gofynnais i, yn disgwyl iddo fo ddweud na. Ond:

'Ydw,' meddai fo'n syth, 'yn enwedig y **cynghanedd**.'

'O ia, dan ni wedi siarad ychydig bach am gynganeddu yn y dosbarth Cymraeg, ond dw i ddim yn deall llawer.'

'Gallwn i dy ddysgu di.'

'Be? Drwy'r post o Enlli?'

Gwenodd o ond ddwedodd o ddim mwy am y peth.

'Gwranda, bydd rhaid i mi fynd,' meddai fo. 'Ro'n i wedi **bwriadu** mynd adre'n syth, ond ...'

'Rwyt ti'n gyrru i Aberystwyth rŵan!' Roedd hi'n 11.30.

'Ydw.'

'Wel ... mae croeso i ti gysgu ar y soffa ...' Mae croeso iddo fo gysgu efo fi yn y gwely hefyd. Dw i isio iddo fo gysgu efo fi, ond dw i ddim isio iddo fo feddwl fy mod i'n ferch ... ym ... fel yna.

'Wyt ti'n siŵr?'

'Ydw.'

Mae o'n mynd i aros! AAAAAAAA!!!

'Bydd rhaid i fi godi'n gynnar; dw i isio mynd i'r Eisteddfod fory,' meddai fo wedyn.

Rhythais i arno fo.

'O, braf ... dw i erioed wedi bod yn yr Eisteddfod.'

Gwenodd o arna i. 'Wel ... wyt ti'n gallu codi'n gynnar?'

---

cynghanedd – *strict metre poetry* bwriadu – *to intend*

Awst 9fed – dydd Gwener

Cysgodd o ar y soffa. Chysgais i ddim winc, achos fy mod i'n gwybod ei fod o yn yr un tŷ â fi. Ac aethon ni i'r Eisteddfod. Buon ni'n siarad a chwerthin yr holl ffordd, ac weithiau, pan oedd o'n newid gêr, roedd ei law yn **cyffwrdd â** fy nghoes i! Roedd o'n edrych yn hyfryd, wedi golchi ei wallt, siafio, a gwisgo'n smart. Gwisgais i **golur** – ar ôl i mi ddod o hyd iddo fo. Pan ddes i allan o'r llofft, gwenodd o'n rhyfedd arna i.

'Ydw i wedi gwisgo gormod o golur?' gofynnais i iddo fo'n syth.

'Nac wyt…mae'n berffaith,' meddai fo. **Toddais** i. 'Ond dwyt ti ddim angen colur.' Toddais i eto.

Mwynheais i bob eiliad o'r Eisteddfod. Aeth o â fi i bob man: y **stondinau**, y **Babell Lên**, y lle **crempog**, y lle hufen iâ…ac yn y prynhawn, aeth o â fi i'r Pafiliwn. Ro'n i wrth fy modd, roedd y canu'n hyfryd.

Wedyn, daeth cannoedd o bobl i mewn.

'Beth sy'n digwydd rŵan?' gofynnais i iddo fo.

'**Seremoni'r Cadeirio.**'

'O! Gwych! Dw i wedi gweld hyn ar y teledu!' meddwn i.

Roedd hi'n seremoni hyfryd. Do'n i ddim yn deall llawer, ond mwynheais i'r cwbl, ac ro'n i'n hoffi'r dillad

---

cyffwrdd â – *to touch*	**Pabell Lên** – *Literary Tent*
colur – *make-up*	**crempog(au)** – *pancake(s)*
toddi – *to melt*	**Seremoni'r Cadeirio** – *Chairing*
stondinau – *stalls*	*Ceremony*

glas, gwyrdd a gwyn ar y **llwyfan**. Ond roedd 'na bobl hen iawn iawn yno.

Dwedodd yr **Archdderwydd** mai 'Bolamelyn' oedd wedi ennill. Wedyn, aeth y lle yn dywyll a chanodd y **corn gwlad**. Roedd golau cryf o'r to yn chwilio drwy'r **dorf** am 'Bolamelyn' am amser hir, yna dechreuodd Siôn godi.

'Beth wyt ti'n ei wneud?' meddwn i, a cheisio ei dynnu i lawr. Ond gwenodd o arna i, rhoi ei law ar fy llaw cyn dweud, 'Wela i di tu fas', a sefyll ar ei draed. Yna, roedd y golau arno fo – a fi – ac roedd o'n **brifo** fy llygaid! Roedd pawb yn clapio ac yn gwenu – ar Siôn – a fi! Ro'n i isio mynd o dan y sedd. Yna daeth rhywun i nôl Siôn, a cherdded efo fo at y llwyfan. Ro'n i'n crynu i gyd. Roedd Siôn yn fardd – yn **brifardd**! Gwelais i o'n eistedd yn ei gadair ar y llwyfan, a'r merched bach yn dawnsio. Roedd hi fel breuddwyd. Pan ganodd pawb 'Hen Wlad fy Nhadau' ro'n i'n crio fel babi. Wedyn aeth y bobl mewn glas, gwyrdd a gwyn allan, ac yna aeth pawb arall allan. Ac ro'n i ar fy mhen fy hun, ynghanol cannoedd o bobl. Do'n i ddim yn gallu gweld Siôn a do'n i ddim yn gwybod lle i fynd. Ro'n i'n teimlo'n ofnadwy. Felly es i am hufen iâ arall. Wedyn ro'n i'n teimlo'n sâl.

Ro'n i ym Mhabell y Dysgwyr pan ddaeth Siôn ata i. Roedd o'n chwysu.

llwyfan – *stage*	**torf** – *crowd*
Archdderwydd – *Archdruid*	**brifo** – *to hurt*
corn gwlad – *horn used in*	**Prifardd** – *Chief poet*
Eisteddfod ceremonies	

'Blodwen! Dw i wedi bod yn chwilio amdanat ti ymhob man!' meddai fo.

Edrychais i arno fo am amser hir. Ro'n i isio rhoi slap iddo fo a'i alw'n hen **ddiawl** am beidio â dweud wrtha i, ond roedd o'n edrych mor hapus. A beth wnes i? Dechreuais i grio eto! Yn yr Eisteddfod! O flaen pawb!

Ond roedd Siôn wedi deall. Gafaelodd o'n **dynn** yndda i.

'Mae'n ddrwg gen i, Blodwen,' meddai fo, 'dylwn i fod wedi dweud wrthot ti.' Ond do'n i ddim yn gallu siarad; roedd fy wyneb yn ei frest, ac roedd **arogl** mor dda arno fo, ac roedd o'n teimlo mor fawr a chryf. Yna roedd o'n cusanu top fy mhen, ochr fy mhen, fy llaw, fy ysgwydd. Codais i fy mhen i edrych arno fo.

'Siôn? Beth wyt ti'n ...?' Ond ches i ddim cyfle i ddweud mwy, roedd o'n rhoi cusan i mi – cusan go iawn – yn yr Eisteddfod o flaen pawb ym Mhabell y Dysgwyr! Roedd hi fel rhywbeth allan o ffilm. Mae gweddill y penwythnos yn breifat. Rhywbeth rhyngdda i a Siôn. (Ond dw i'n gwenu – fel giât.)

Daeth â fi adref heno. Mae o'n cysgu yn fy ngwely tra dw i'n sgwennu hwn.

Mae gen i ofn dweud hyn, ond ydw, dw i mewn cariad eto. Dydy o ddim wedi dweud, 'Dw i'n dy garu di', ond Cymro ydy o wedi'r cyfan.

---

diawl – *devil*   arogl – *smell, scent*

tyn (yn dynn) – *tight*

Awst 12fed – dydd Llun

Dw i'n dal mewn cariad. Mae o wedi mynd i weld ei fam, ond dan ni newydd fod ar y ffôn am awr a hanner. Ac mae Blodeuwedd yn hapus yn ei chartref newydd – ac oes, mae bwch gafr yno.

Awst 13eg – dydd Mawrth

Dal mewn cariad. Dwy awr ar y ffôn heddiw ac mae'n dod yma fory.

Awst 17eg – dydd Sadwrn

Dw i'n gwybod rŵan pam roedd Siôn wedi gorfod dod i Fangor y diwrnod hwnnw – roedd gynno fo gyfweliad am swydd. Mae o wedi cael y swydd! Yfory, bydd o'n mynd yn ôl i Ynys Enlli am fis, wedyn mae o'n dod i aros efo fi. Cawn ni weld sut fydd pethau. Dw i mewn cariad ond dw i'n realistig. Mae byw efo rhywun yn fater gwahanol. Ond hyd yma, mae popeth wedi bod yn wych. Mae o wedi trwsio drws y sied, y ffens a'r hwfyr, mae o wedi gwneud cyrri bendigedig, ac mae o'n golchi ei ddillad ei hun. Mae HRH yn ei hoffi o a dydy o ddim yn meddwl fy mod i'n **flêr**. Ond dw i'n glanhau llawer mwy am ei fod o yma. Dydy o ddim wedi dweud, 'Dw i'n dy garu di' eto, ond dw i ddim ar frys.

---

blêr – *untidy*

Felly yfory mae o'n mynd yn ôl i Enlli. Ond dw i'n mynd i fynd yno i'w weld o bob penwythnos, a dw i wedi prynu llyfr adar yn barod.

Awst 19eg – dydd Llun

Mae o'n dal yma! Mae'r môr wedi bod yn rhy **arw** i neb groesi i Enlli ers dyddiau! Felly mae Menna, Andrew, Brenda a Roy'n dal yno! Ddylwn i ddim chwerthin, ond ...

Ac mae gen i gyfweliad am y swydd ar fan y llyfrgell ddydd Mercher! Weithiau, mae bywyd yn dda i Blodwen Jones ...

garw – *rough*

Geirfa

atgofion – *memories*

awyr agored – *outdoor*

aeddfed – *mature*

afiechyd – *disease*

anghywir – *wrong*

ail-law – *second hand*

amaethyddol – *agricultural*

ambell sgriffiad – *the odd scratch*

amgylchedd – *environment*

amrediad – *range*

amseru – *to time (something)*

amyneddgar – *patient*

anadlu – *to breathe*

anaml – *infrequent*

anhygoel – *incredible*

annheg – *unfair*

annog – *to encourage*

araith – *a speech*

Archdderwydd – *Archdruid*

ardal – *area*

arddull – *style*

arogl – *smell, scent*

arwydd – *sign*

arfer(ion) – *habit(s)*

ar frys – *in a hurry*

argian! – *good heavens!*

ar unrhyw gyfrif – *on any account*

arwr – *hero*

ar y mwya – *at the most*

bachu – *to pull (lit. to hook)*

baglu – *to trip*

bai – *fault*

balchder – *pride*

bara cartre – *home-made bread*

barn – *opinion*

be goblyn? – *what on earth?* (an exclamation)

berwedig – *boiling*

bin sbwriel – *rubbish bin*

blêr – *untidy*

blingo – *to skin (an animal)*

blonden – *blonde*

bol cwrw – *beer belly*

botwm bol – *belly button*

bradwr – *traitor*

braster llawn – *full fat*

brathu fy nhafod – *to bite my tongue*

breuddwyd(ion) – *dream(s)*

brifo – *to hurt*

briw – *wound*

bwced – *bucket*

bwriadu – *to intend*

cadach(au) – *cloth(s), rags*

cais – *application*

camu – *to step*

cant y cant – *a hundred per cent*

cân werin / caneuon gwerin – *folk song(s)*

caredig – *kind*

cariad(on) – *lover(s)*

carreg – *stone*

carthffosiaeth – *sewerage*

caws bwthyn – *cottage cheese*

cefndir – *background*

ceiliog – *cockerel*

ceisio – *to try*

celwydd(au) – *lie(s)*

cenfigen – *jealousy*

cerddwr / cerddwyr – *walker(s)*

clawr – *cover*

clec – *crack, snap*

clymu – *to tie*

cnawd – flesh

cneifio – *to shear*

codi llaw – *to wave*

colur – *make-up*

corn gwlad – *horn used in Eisteddfod ceremonies*

cosi – *to itch*

crafu – *to scratch*

credadwy – *believable*

crempog(au) – *pancake(s)*

creulon – *cruel*

crwn – *round*

crynu – *to shake, to shiver*

crynu fel deilen – *to shake like a leaf*

cul – *narrow*

cwyn – *complaint*

cyfan – *whole, complete*

cyflymder – *speed*

cyfweliad – *interview*

cyffur(iau) – *drug(s)*

cyffwrdd â – *to touch*

cynghanedd – *strict metre poetry*

cyhoeddus – *public*

cyhyr(au) – *muscle(s)*

cyhyrog – *muscular*

cymaint – *so much*

cymryd sylw – *to take notice*

cymylau – *clouds*

cymysgydd sment – *cement mixer*

cynffon – *tail*

cynnig – *to offer, to try*

cystal – *as good*

cytgan – *chorus*

cywilydd – *shame*

cywiro – *to correct*

chwannen (chwain) – *flea(s)*

chwarddodd – *he / she laughed*

chwyn – *weeds*

chwyrn – *stern*

chwyslyd – *sweaty*

chwysu – *to sweat*
chwythu – *to blow*

darn(au) – *piece(s)*
deuawd(au) – *duet(s)*
dianc – *to escape*
diawl – *devil*
dibynnu – *to depend*
dieithr – *strange, alien*
difyr – *pleasant, amusing*
dinistrio – *to destroy*
disgyn – *to fall*
diwylliant – *culture*
dod i arfer efo – *to get used to*
dod o hyd i – *to find*
drewi – *to smell*
dringwyr – *climbers*
drôr / droriau – *drawer(s)*
dros dro – *temporary*
drych – *mirror*
dryswch – *confusion*
dwl – *stupid*
dwlu – *to dote (de Cymru)*
dychanol – *satirical*
dyfarnwr – *referee*
dyweddïo – *to get engaged*

edmygedd – *admiration*
egluro – *to explain*
egni – *energy*

eli – *ointment*
emyn(au) – *hymn(s)*
erthygl(au) – *article(s)*
esgyrn – *bones*
estyn am – *to reach for*

fel pin mewn papur – *shipshape*

ffens drydan – *electric fence*
ffordd o siarad – *figure
   of speech*
ffraeo – *to argue*
ffraeth – *witty*
ffrwgwd – *brawl*
ffrwydro – *to explode*
ffurflen(ni) – *form(s)*
ffŵl – *a fool*

gad i ni weld – *let's see*
garw – *rough*
gast (yr ast) – *bitch*
glanfa – *jetty*
glanio – *to land*
gog – *North Walian (slang)*
goleudy – *lighthouse*
golwg – *sight*
golygfa – *sight, view*
gwaedu – *to bleed*
gwael – *bad*

gwahanu – *to separate*
gwallgof – *mad*
gwan – *weak*
gwasgu – *to squeeze, to press*
gweddill – *the rest, the remainder*
gwefus(au) – *lip(s)*
gwelw – *pale*
Gwlad yr Iâ – *Iceland*
gwlychu – *to get wet*
gwna dy symudiad – *make your move*
gwrthod – *to refuse*
gwylfa – *hide, lookout*
gwylltio – *to get angry*
gwymon – *seaweed*

haeddu – *to deserve*
hances – *handkerchief*
hanesydd – *historian*
hawliau cyfartal – *equal rights*
haws – *easier*
hel gwair – *haymaking*
hirsgwar – *rectangular / rectangle*
hunllef – *nightmare*
hurt – *stupid*
hwch – *sow*
hwntw – *South Walian (slang)*
hyd yn oed – *even*

hynod o ddoniol – *incredibly funny*

iard gychod – *boatyard*
i bob man – *all over the place*
i fyny i ti – *up to you*
injan – *engine*

lolfa – *lounge*
lori gyngor – *council lorry*

llac – *loose*
llachar – *bright*
llanast – *mess*
llath – *yard (measurement)*
lleidr – *thief*
lleisiau dieithr – *unfamiliar voices*
llenwi – *to fill*
lliw haul – *suntan*
llwyfan – *stage*
llydan – *wide, broad*
llyfn – *smooth*
llyfrgell deithiol – *mobile library*
llyfrgellydd bro – *area librarian*
llyfu – *to lick*
llyffant(od) – *frog(s)*
llyncu – *to swallow*

llysieuwyr – *vegetarians*
llyw – *steering wheel*

marblis – *marbles*
meddwn i – *I said*
mellten – *a lightning bolt*
menyw(od) – *woman (women)*
  (de Cymru)
modfedd(i) – *inch(es)*
moel – *bald*
morfil – *whale*
morlo(i) – *seal(s)*
moyn – *to want (de Cymru)*
mwy neu lai – *more or less*
mynd ar goll – *to get lost*
mynd dramor – *to go abroad*
mynnu – *to insist*

nefoedd – *heaven*
nes – *until*
newydd-ddyfodiaid – *newcomers*
nith(oedd) – *niece(s)*
nodiadau – *notes*
noeth – *naked, bare*

ochneidio – *to sigh*
ofnus – *afraid*
ogof(âu) – *cave(s)*
o ddifri – *serious*

o hyd – *all the time*
oni bai – *unless*

pabell / pebyll – *tent(s)*
Pabell Lên – *Literary Tent*
paratoi – *to prepare*
pastai cartref – *home-made pie*
penelin(au) – *elbow(s)*
perchen – *to own, to possess*
perchennog – *owner*
perchnogion – *owners*
plesio – *to please*
plygu – *to fold*
polisio – *to polish*
popty – *oven*
postyn – *post*
potelaid – *a bottleful*
Prifardd – *Chief poet*
profiad gwaith – *work experience*
pryf / pryfed – *fly (flies)*
pwll o waed – *pool of blood*
pwnc – *subject, topic*
pwyso – *to lean, to press*
pysgodyn aur – *goldfish*

rhain – *these*
rhamant – *romance*
rhamantus – *romantic*
rhannu – *to share*

rhegi – *to swear*
rhes(i) – *row(s)*
rhoi cynnig ar – *to have a go at,
   to try*
rhoi ei droed ynddi – *to put his
   foot in it*
rhuo – *to roar*
rhydd – *free*
rhythu – *to glare*
rhywiol – *sexual*
rhywsut – *somehow*

sbwng – *sponge*
seiciatrydd – *psychiatrist*
Seremoni'r Cadeirio –
   Chairing Ceremony
sgwn i – *I wonder*
siapus – *shapely*
siglo – *to rock*
siŵr o fod – *surely, probably*
slei – *sly*
sothach – *rubbish*
stondinau – *stalls*
swnllyd – *noisy*
sylweddoli – *to realise*
syml – *simple*
syn – *surprised*
synnwyr – *sense*

tafod – *tongue*
tagu – *to cough, to choke*
tawel fy meddwl – *having peace
   of mind*
tir mawr – *mainland*
toddi – *to melt*
tôn – *tune, melody*
ton(nau) – *wave(s)*
torf – *crowd*
torheulo – *to sunbathe*
tra – *while*
trawiad calon – *heart attack*
tsaen – *chain*
tuag atoch chi – *towards you*
tudalen(nau) – *page(s)*
tunnell – *ton*
tyn (yn dynn) – *tight*
tynnu coes – *to pull one's leg*

ugeiniau – *scores, a large group*
urddasol – *stately*

wastad – *always*
wedi drysu – *confused*
wedi'r cyfan – *after all*

ymlaen – *onward*
yn amlwg – *obviously*
yn ddiweddar – *recently*

yn enwedig – *especially*
yn eu lle nhw – *instead of them,*
   in their place
yn hollol – *exactly*
yn ieithyddol – *linguistically*
Ynys Enlli – *Bardsey Island*
yr un fath – *the same*
ysgrifen – *handwriting*
ysgwydd(au) – *shoulder(s)*